PSICOLOGIA SOCIAL

SILVIA T. M. LANE
WANDERLEY CODO (orgs.)

PSICOLOGIA SOCIAL

O HOMEM EM MOVIMENTO

editora brasiliense

Copyright © by autores, 1984
Nenhuma parte desta publicação pode ser gravada,
armazenada em sistemas eletrônicos, fotocopiada,
reproduzida por meios mecânicos ou outros quaisquer
sem autorização prévia da editora.

ISBN: 978-85-11-15023-0
Primeira edição, 1984
14ª edição, 2012
1ª reimpressão, 2017

Diretora Editorial: *Maria Teresa B. de Lima*
Editor: *Max Welcman*
Produção Editorial: *Ione Franco*
Produção Gráfica: *Laidi Alberti*
Revisão: *Tiago Sliachticas*
Capa: *Ione Franco*

Dados Internacionais de catalogação na Publicação (CIP)
(Câmara Brasileira do Livro, SP, Brasil)

Psicologia Social: o homem em movimento. Silvia T. M.
Lane, Wanderley Codo. Orgs. São Paulo: Brasiliense, 2012

14ª ed. de 2012.
ISBN 978-85-11-15023-0

1. Psicologia social I. Lane, Silvia T. M. II. Codo, Wanderley

05-0931   CDD-320.51

Índices para catálogo sistemático:
1. Brasil : Economia : História   302

editora brasiliense ltda
Rua Antonio de Barros, 1720 – Tatuapé
CEP 03401-001 – São Paulo – SP
www.editorabrasiliense.com.br

Sumário

Apresentação – *Silvia T. M. Lane* 7

PARTE 1
INTRODUÇÃO

A psicologia social e uma nova concepção do homem para a psicologia – *Silvia T. M. Lane* 10
A dialética marxista: uma leitura epistemológica – *Iray Carone* 20

PARTE 2
AS CATEGORIAS FUNDAMENTAIS DA PSICOLOGIA SOCIAL

Linguagem, pensamento e representações sociais – *Silvia T. M. Lane* 32
Consciência/alienação: a ideologia no nível individual – *Silvia T. M. Lane* 40
O fazer e a consciência – *Wanderley Codo* 48
Identidade – *Antonio da Costa Ciampa* 58

PARTE 3
O INDIVÍDUO E AS INSTITUIÇÕES

O processo grupal – *Silvia T. M. Lane*..................... 78
Família, emoção e ideologia – *José Roberto Tozoni Reis*....... 99
O processo de socialização na escola: a evolução da condição
social da criança – *Marília Gouvea de Miranda*.............125
Relações de trabalho e transformação social – *Wanderley
Codo*..136

PARTE 4
A PRÁXIS DO PSICÓLOGO

Psicologia educacional: uma avaliação crítica – *José Carlos
Libâneo*......................................154
O psicólogo clínico – *Alfredo Naffah Neto*.................181
O papel do psicólogo na organização industrial (notas sobre
o "lobo mau" em psicologia) – *Wanderley Codo*.......195
Psicologia na comunidade – *Alberto Abib Andery*...........203
Sobre os Autores 221

Apresentação

Quando publicamos *O que é psicologia social* o fizemos dentro das propostas da Coleção Primeiros Passos, procurando sintetizar a produção e discussão de temas que o programa de pós-Graduação em psicologia social da PUC-SP vinha desenvolvendo.

Para nossa surpresa, o livro passou a ser leitura constante de alunos de cursos universitários em todo o país, indicando a necessidade de um conhecimento alteranativo em psicologia social.

Este livro se propõe a atender a essa necessidade com artigos de vários autores abordando os tópicos que julgamos fundamental serem discutidos em disciplinas de psicologia social que compõem o currículo de Formação Geral do Psicólogo, assim como de outros cursos que necessitem de conhecimentos nessa área.

A Introdução propõe uma outra concepção de homem e suas implicações epistemológicas; a Parte 2 analisa as categorias fundamentais para a psicologia social, enquanto a Parte 3 aprofunda a análise da relação indivíduo-sociedade, pela mediação grupal e institucional. Na Parte 4 os artigos analisam como, a partir desta concepção de homem, é possível rever a prática do psicólogo nas suas diversas especialidades.

Esperamos assim contribuir para uma psicologia voltada para os problemas concretos de nossa realidade, tornando o profissional um agente de transformação na sociedade brasileira.

Silvia T. M. Lane

Parte 1
Introdução

A psicologia social e uma nova concepção do homem para a psicologia

Silvia Tatiana Maurer Lane

> *"Quase nenhuma ação humana tem por sujeito um indivíduo isolado. O sujeito da ação é um grupo. um 'Nós', mesmo se a estrutura atual da sociedade, pelo fenômeno da reificação, tende a encobrir esse 'Nós' e a transformá-lo numa soma de várias individualidades distintas e fechadas umas às outras."* Lucien Goldman, 1947.

A relação entre psicologia e psicologia social deve ser entendida em sua perspectiva histórica, quando na década de 1950 se iniciam sistematizações em termos de psicologia social, dentro de duas tendências predominantes: uma, na tradição pragmática dos Estados Unidos, visando alterar e/ou criar atitudes, interferir nas relações grupais para harmonizá-las e assim garantir a produtividade do grupo – é uma atuação que se caracteriza pela euforia de uma intervenção que minimizaria conflitos, tornando os homens "felizes" reconstrutores da humanidade que acabava de sair da destruição de uma Segunda Guerra Mundial. A outra tendência, que também procura conhecimentos que evitem novas catástrofes mundiais, segue a tradição filosófica europeia, com raízes na fenomenologia, buscando modelos científicos totalizantes, como Lewin e sua teoria de campo.

A euforia deste ramo científico denominado psicologia social dura relativamente pouco, pois sua eficácia começa a ser questionada em meados da década de 1960, quando as análises críticas apontavam para uma "crise" do conhecimento psicossocial que não conseguia intervir nem explicar. muito menos prever comportamentos sociais. As réplicas de pesquisas e experimentos não permitiam formular leis, os estudos interculturais apontavam para uma complexidade de variáveis que desafiavam os pesquisadores e estatísticos – é o retorno às análises fatoriais e novas técnicas de análise de multivariância, que afirmam sobre relações existentes, mas nada em termos de "como" e "por quê".

Na França, a tradição psicanalítica é retomada com toda a veemência após o movimento de 1968, e sob sua ótica é feita uma crítica à psicologia social norte-americana como uma ciência ideológica, reprodutora dos interesses da classe dominante, e produto de condições históricas específicas, o que invalida a transposição tal e qual deste conhecimento para outros países, em outras condições histórico-sociais. Esse movimento também tem suas repercussões na Inglaterra, onde Israel e Täjfell analisam a "crise" sob o ponto de vista epistemológico com os diferentes pressupostos que embasam o conhecimento científico – é a crítica ao positivismo, que em nome da objetividade perde o ser humano.

Na América Latina, Terceiro Mundo, dependente econômica e culturalmente, a psicologia social oscila entre o pragmatismo norte-americano e a visão abrangente de um homem que só era compreendido filosófica ou sociologicamente – ou seja, um homem abstrato. Os congressos interamericanos de psicologia são excelentes termômetros dessa oscilação e que culminam em 1976 (Miami), com críticas mais sistematizadas e novas propostas, principalmente pelo grupo da Venezuela, que se organiza numa Associação Venezuelana de Psicologia Social (AVEPSO) coexistindo com a Associação Latino-Americana de psicologia social (ALAPSO). Nessa ocasião, psicólogos brasileiros também faziam suas críticas, procurando novos rumos para uma psicologia social que atendesse à nossa realidade. Esses movimentos culminam em 1979 (SIP – Lima, Peru) com propostas concretas de uma psicologia social em bases materialista-históricas e voltadas para trabalhos comunitários, agora com a participação de psicólogos peruanos. mexicanos e outros.

O primeiro passo para a superação da crise foi constatar a tradição biológica da psicologia, em que o indivíduo era considerado um organismo que interage no meio físico, sendo que os processos psicológicos (o que ocorre "dentro" dele) são assumidos como causa, ou uma das causas que explicam o seu comportamento. Ou seja, para compreender o indivíduo bastaria conhecer o que ocorre "dentro dele", quando ele se defronta com estímulos do meio.

Porém o homem fala, pensa, aprende e ensina, transforma a natureza; o homem é cultura, é história. Este homem biológico não sobrevive por si e nem é uma espécie que se reproduz tal e qual, com variações decorrentes de clima, alimentação, etc. O seu organismo é uma infraestrutura que permite o desenvolvimento de uma superestrutura que é social e, portanto, histórica. Esta desconsideração da psicologia em geral, do ser humano como produto histórico-social, é que a torna, se não inócua, uma ciência que reproduziu a ideologia dominante de uma sociedade, quando descreve comportamento e baseada em frequências tira conclusões sobre relações causais pela pura e simples de comportamentos ocorrendo em situações dadas. Não discutimos a validade das leis de aprendizagem; é indiscutível que o reforço aumenta a probabilidade da ocorrência do comportamento, assim como a punição extingue comportamentos, porém a questão que se coloca é por que se apreende certas coisas e outras são extintas, por que objetos são considerados reforçadores e outros punidores? Em outras palavras, em que condições sociais ocorre a aprendizagem e o que ela significa no conjunto das relações sociais que definem concretamente o indivíduo na sociedade em que ele vive.

O ser humano traz consigo uma dimensão que não pode ser descartada, que é a sua condição social e histórica, sob o risco de termos uma visão distorcida (ideológica) de seu comportamento.

Um outro ponto de desafio para a psicologia social se colocava diante dos conhecimentos desenvolvidos – sabíamos das determinações sociais e culturais de seu comportamento, porém onde a criatividade, o poder de transformação da sociedade por ele construída. Os determinantes só nos ensinavam a reproduzir, com pequenas variações, as condições sociais nas quais o indivíduo vive.

A ideologia nas ciências humanas

A afirmativa de que o positivismo, na procura da objetividade dos fatos, perdera o ser humano decorreu de uma análise crítica de um conhecimento minucioso enquanto descrição de comportamentos que, no entanto, não dava conta do ser humano agente de mudança, sujeito da história. O homem ou era socialmente determinado ou era causa de si mesmo: sociologismo *vs* biologismo? Se por um lado a psicanálise enfatizava a história do indivíduo, a sociologia recuperava, através do materialismo histórico, a especificidade de uma totalidade histórica concreta na análise de cada sociedade. Portanto, caberia à psicologia social recuperar o indivíduo na intersecção de sua história com a história de sua sociedade – apenas este conhecimento nos permitiria compreender o homem enquanto produtor da história.

Na medida em que o conhecimento positivista descrevia comportamentos restritos no espaço e no tempo, sem considerar a inter-relação infra e superestrutural, estes comportamentos, mediados pelas instituições sociais, reproduziam a ideologia dominante, em termos de frequência observada, levando a considerá-los "naturais" e, muitas vezes, "universais". A ideologia, como produto histórico que se cristaliza nas instituições, traz consigo uma concepção de homem necessária para reproduzir relações sociais, que por sua vez são fundamentais para a manutenção das relações de produção da vida material da sociedade como tal. Na medida em que a história se produz dialeticamente, cada sociedade, na organização da produção de sua vida material, gera uma contradição fundamental, que ao ser superada produz uma nova sociedade, qualitativamente diferente da anterior. Porém, para que esta contradição não negue a todo momento a sociedade que se produz, é necessária a mediação ideológica, ou seja, valores, explicações tidas como verdadeiras que reproduzam as relações sociais necessárias para a manutenção das relações de produção.

Desse modo, quando as ciências humanas se atêm apenas na descrição, seja macro ou microssocial, das relações entre os homens e das instituições sociais, sem considerar a sociedade como produto histórico-dialético, elas não conseguem captar a mediação ideológica e a reproduzem como fatos inerentes à "natureza" do homem. E a psicologia não foi exceção, principalmente, dada a sua origem biológica naturalista, onde o comportamento humano decorre de um organismo fisiológico que responde a estímulos. Lembramos aqui Wundt e seu laboratório, que, objetivando construir uma psicologia científica, que se diferenciasse da especulação filosófica, se preocupa em descrever processos psicofisiológicos em termos de estímulos e respostas, de causas-e-efeitos.

Nesta tradição e no entusiasmo de descrever o homem enquanto um sistema nervoso complexo que o permitia dominar e transformar a natureza, criando condições *sui-generis* para a sobrevivência da espécie, os psicólogos se esqueceram de que este homem, junto com outros, ao transformar a natureza se transformava ao longo da história.

Como exemplo, podemos citar Skinner, que, sem dúvida, causou uma revolução na psicologia, mas as condições histórico-sociais que o cercam impediram-no de dar um outro salto qualitativo. Ao superar o esquema S-R, chamando a atenção para a relação homem-ambiente, para o *controle* que este ambiente exerce sobre o comportamento; criticando o reducionismo biológico, permitiu a Skinner ver o homem como produto das suas relações sociais, porém não chega a ver estas relações como produzidas a partir da condição histórica de uma sociedade. Quando Skinner, por meio da análise experimental do comportamento, detecta os controles sutis que, por meio das instituições, os homens exercem uns sobre os outros, e define leis de aprendizagem — e não podemos negar que reforços e punições *de fato* controlam comportamentos — temos uma descrição perfeita de um organismo que se transforma em função das consequências de sua ação, também a análise do *autocontrole* se aproxima do que consideramos consciência de si e o *contracontrole* descreve ações de um indivíduo em processo de conscientização social. Skinner aponta para a complexidade das relações sociais e as implicações para a análise dos comportamentos envolvidos, desafiando os psicólogos para a elaboração de uma tecnologia de análise que dê conta desta complexidade, enquanto contingências, presentes em comunidades. A história individual é considerada enquanto história social que antecede e sucede à história do indivíduo. Nesta linha de raciocínio caberia questionar por que alguns comportamentos são reforçados e outros punidos dentro de um mesmo grupo social. Sem responder a estas questões, passamos a descrever o *status quo* como imutável e, mesmo querendo transformar o homem, como o próprio Skinner propõe, jamais o conseguiremos numa dimensão histórico-social.

Impasse semelhante podemos observar em Lewin, que procura detectar os "casos puros" à maneira galileica e assim precisar leis psicológicas. Também para ele indivíduo e meio são indissociáveis, e na medida em que o meio é social e se caracteriza pela complexidade de regiões e sub-regiões e seus respectivos sistemas de forças, se vê num impasse para a comprovação e previsão de comportamentos. Este impasse surge, entre outros, na descrição de processos grupais sob lideranças autocráticas, democráticas e *laissez-faire*, quando, entendendo ser o processo democrático o mais criativo e produtivo, propõe uma "liderança democrática forte" forma de se chegar a esta relação grupal...

Também a psicanálise, em suas várias tendências, enfrenta este problema, desde as críticas de Politzer a Freud até as análises atuais dos franceses, que procuram fazer uma releitura da obra de Freud numa perspectiva histórico-social do ser humano.

Não negamos a psicobiologia nem as grandes contribuições da psiconeurologia. Afinal, elas descrevem a materialidade do organismo humano que se transforma por meio de sua própria atividade, mas elas pouco contribuem para entendermos o pensamento humano e que se desenvolve por meio das relações entre os homens, para compreendermos o homem criativo, transformador – sujeito da história social do seu grupo.

Se a psicologia apenas descrever o que é observado ou enfocar o indivíduo c   omo causa e efeito de sua individualidade, ela terá uma ação conservadora, estatizante – ideológica – quaisquer que sejam as práticas decorrentes. Se o homem não for visto como produto e produtor, não só de sua história pessoal mas da história de sua sociedade, a psicologia estará apenas reproduzindo as condições necessárias para impedir a emergência das contradições e a transformação social.

A psicologia social e o materialismo histórico

Se o positivismo, ao enfrentar a contradição entre objetividade e subjetividade, perdeu o ser humano, produto e produtor da história, se tornou necessário recuperar o *subjetivismo* enquanto *materialidade psicológica*. A dualidade físico × psíquico implica a concepção idealista do ser humano, na velha tradição animística da psicologia, ou então caímos num organicismo onde homem e computador são imagem e semelhança um do outro. Nenhuma das duas tendências dá conta de explicar o homem criativo e transformador. Tornou-se necessária uma nova dimensão espaço-temporal para se apreender o Indivíduo como um ser concreto, manifestação de uma totalidade histórico-social – daí a procura de uma psicologia social que partisse da materialidade histórica produzida por e produtora de homens.

É dentro do materialismo histórico e da lógica dialética que vamos encontrar os pressupostos epistemológicos para a reconstrução de um conhecimento que atenda à realidade social e ao cotidiano de cada indivíduo e que permita uma intervenção efetiva na rede de relações sociais que define cada indivíduo – objeto da psicologia social.

Das críticas feitas detectamos que definições, conceitos constructos que geram teorias abstratas em nada contribuíram para uma prática psicossocial. Se nossa meta é atingir o indivíduo concreto, manifestação de uma totalidade histórico-social, temos de partir do empírico (que o positivismo tão bem nos ensinou a descrever) e, através de análises sucessivas nos aprofundarmos, além do aparente, em direção a esse concreto, e para tanto necessitamos de *categorias* que a partir do empírico (imobilizado pela descrição) nos levem ao processo subjacente e à real compreensão do Indivíduo estudado.

Também a partir de críticas à psicologia social "tradicional" pudemos perceber dois fatos fundamentais para o conhecimento do Indivíduo: 1) o homem não sobrevive a não ser em relação com outros homens, portanto a *dicotomia* Individuo × Grupo é falsa — desde o seu nascimento (mesmo antes) o homem está inserido num grupo social — ; 2) a sua participação, as suas ações, por estar em grupo, dependem fundamentalmente da aquisição da *linguagem* que preexiste ao indivíduo como código produzido historicamente pela sua sociedade (*langue*), mas que ele aprende na sua relação específica com outros indivíduos (*parole*). Se a língua traz em seu código significados para o indivíduo as palavras terão um sentido pessoal decorrente da relação entre pensamento e ação, mediadas pelos outros significativos.

O resgate destes dois fatos empíricos permite ao psicólogo social se aprofundar na análise do Indivíduo concreto, considerando a imbricação entre relações grupais, linguagem, pensamento e ações na definição de características fundamentais para a análise psicossocial.

Assim, a *atividade* implica ações encadeadas, junto com outros indivíduos, para a satisfação de uma necessidade comum. Para haver este encadeamento é necessária a comunicação (linguagem) assim como um plano de ação (pensamento), que por sua vez decorre de atividades anteriormente desenvolvidas.

Refletir sobre uma atividade realizada implica repensar suas ações, ter consciência de si mesmo e dos outros envolvidos, refletir sobre os sentidos pessoais atribuídos às palavras, confrontá-las com as consequências geradas pela atividade desenvolvida pelo grupo social, e nesta reflexão se processa a *consciência* do indivíduo, que é indissociável enquanto de si e social.

Leontiev inclui ainda a *personalidade* como categoria, decorrente do princípio de que o homem, ao agir, transformando o seu meio se transforma, criando características próprias que se tornam esperadas pelo seu grupo no desenvolver de suas atividades e de suas relações com outros indivíduos.

Caberia ainda, na especificidade psicossocial, uma análise das *relações grupais* enquanto mediadas pelas *instituições sociais* e como tal exercendo uma mediação ideológica na atribuição de *papéis sociais* e representações decorrentes de atividades e relações sociais tidas como "adequadas, corretas, esperadas" etc.

A consciência da reprodução ideológica inerente aos papéis socialmente definidos *permite* aos indivíduos no grupo superarem suas individualidades e se conscientizarem das condições históricas comuns aos membros do grupo, levando-os a um processo de identificação e de atividades conjuntas que caracterizam o grupo como unidade. Este processo pode ocorrer individualmente e constataríamos o desenvolvimento de uma consciência de si idêntica à consciência social. Na medida em que o processo é grupal, ou seja, ocorre com todos os membros, ele tende a caracterizar o desenvolvimento de uma consciência de classe, quando o grupo se percebe inserido no processo de produção material de sua vida e percebe as contradições geradas historicamente, levando-o a atividades que visam à superação das contradições presentes no seu cotidiano, torna-se um grupo-sujeito da transformação histórico-social.

Desta forma, a análise do processo grupal nos permite captar a dialética indivíduo-grupo, onde a dupla negação caracteriza a superação da contradição existente e quando o indivíduo e grupo se tornam agentes da história social, membros indissociáveis da totalidade histórica que os produziu e a qual eles transformam por suas atividades também indissociáveis.

Esta análise das categorias fundamentais para a compreensão do ser humano nos leva à constatação da impossibilidade de delimitarmos conhecimentos em áreas estanques que comporiam o conjunto das ciências humanas. psicologia, sociologia, antropologia, economia, história, pedagogia, linguística são enfoques a partir dos quais todas as áreas contribuem para o conhecimento profundo e concreto do ser humano. Suas fronteiras devem ser necessariamente permeáveis, ampliando o conhecimento, seja do indivíduo, do grupo, da sociedade e da produção de sua existência material e concreta.

Decorrências metodológicas: a pesquisa-ação enquanto práxis

A partir de um enfoque fundamentalmente interdisciplinar, o pesquisador-produto-histórico parte de uma visão de mundo e do homem necessariamente comprometida e neste sentido não há possibilidade de se gerar um conhecimento "neutro", nem um conhecimento do outro que não interfira na sua existência. Pesquisador e pesquisado se definem por relações sociais que tanto podem ser reprodutoras como podem ser transformadoras das condições sociais onde ambos se inserem; desta forma, conscientes ou não, sempre a pesquisa implica intervenção, ação de uns sobre outros. A pesquisa em si é uma prática social onde pesquisador e pesquisado se apresentam enquanto subjetividades que se materializam nas relações desenvolvidas, e onde os papéis se confundem e se alternam, ambos objetos de análises e portanto descritos empiricamente. Esta relação — objeto de análise — é captada em seu movimento, o que implica, necessariamente, pesquisa-ação.

Por outro lado, as condições históricas sociais do pesquisador e de pesquisados que respondem pelas relações sociais que os identificam como indivíduos permitem a acumulação de conhecimentos na medida em que as condições são as mesmas, onde as especificidades individuais apontam para o comum grupal e social, ou seja, para o processo histórico, que, captado, nos propicia a compreensão do indivíduo como manifestação da totalidade social, ou seja, o Indivíduo concreto.

Este caráter acumulativo da pesquisa faz do conhecimento uma práxis, onde cada momento empírico é repensado no confronto com outros momentos e a partir da reflexão critica novos caminhos de investigação traçados, que por sua vez levam ao reexame de todos os empíricos e análises feitas, ampliando sempre a compreensão e o âmbito do conhecido. Pesquisa-ação é por excelência a práxis científica.

Toda a psicologia é social

Esta afirmação não significa reduzir as áreas específicas da psicologia à psicologia social, mas sim cada uma assumir dentro da sua especificidade a natureza histórico-social do ser humano. Desde o desenvolvimento infantil até as patologias e as técnicas de intervenção, características do psicólogo, devem ser analisadas criticamente à luz desta concepção do ser humano — é a clareza de que não se pode conhecer qualquer comportamento humano isolando-o ou fragmentando-o, como se este existisse em si e por si.

Também com esta afirmativa não negamos a especificidade da psicologia social — ela continua tendo por objetivo conhecer o Indivíduo no conjunto de suas relações sociais, tanto naquilo que lhe é específico como naquilo em que ele é manifestação grupal e social. Porém, agora a psicologia social poderá responder à questão de como o homem é sujeito da história e transformador de sua própria vida e da sua sociedade, assim como qualquer outra área da psicologia.

A dialética marxista: uma leitura epistomológica*

Iray Carone

Introdução

Há algumas pistas e indicações no prefácio da primeira edição alemã de *O capital*, bem como no posfácio da segunda edição alemã, que podem ser de extrema utilidade para a compreensão epistemológica do método dialético ou método de exposição tal como está objetivado no desenvolvimento da obra mencionada. Pretendemos assinalar essas pistas a fim de empreender uma leitura do método de exposição no primeiro capítulo de *O capital*, que trata da Mercadoria.

Comecemos pelo prefácio da primeira edição alemã de 1867. Marx diz qual é o objeto de investigação da obra: "O regime de produção capitalista e as relações de produção e de circulação que a ele correspondem",[1] ou mais precisamente, "as leis naturais de produção capitalista... que operam e se impõem com férrea necessidade".[2]

O universo de pesquisa, tomado como ilustração, é o capitalismo inglês do século XIX. O ponto de partida da investigação

---

* Algumas colocações teóricas deste artigo foram baseadas na análise de Marcos Muller sobre o método de exposição em *O capital*.
1. Marx, Karl, *O capital*, I, vol. 1, trad. port. Reginaldo Sant'Anna, 6ª ed. Rio de Janeiro, Civilização Brasileira, 1980, p. 5.
2. Marx, Karl, *idem, ibidem*, p. 5.

teórica é a Mercadoria, que corresponde ao capítulo primeiro de *O capital*, exatamente o que oferece maior dificuldade à compreensão do leitor.

O método ou modo de tratar o objeto, segundo Marx, tem analogias com o método de proceder do biologista, ou melhor, do anatomista, bem como com o método do físico. Mas não equivale a um dos dois, por causa do objeto – as formas econômicas. Marx fala em "análise" e "capacidade de abstração" como modos adequados de tratar cientificamente as formas econômicas, refratárias à observação direta ou observação indireta com ajuda de instrumentos, ou mesmo de experimentação.

Vejamos a analogia com a maneira de proceder do biologista. O pressuposto da analogia é o de que a sociedade burguesa se assemelha a um organismo e a mercadoria equivale a uma célula ou forma elementar desse organismo.

Na analogia com os procedimentos adotados pelo físico na busca das leis que regulam os processos da natureza, Marx diz: "O físico observa os processos da Natureza quando se manifestam na forma mais característica e estão mais livres de influências perturbadoras, ou, quando possível, faz ele experimentos que assegurem a ocorrência do processo em sua pureza".[3]

Pela primeira analogia temos de considerar a sociedade como uma totalidade tal como a totalidade orgânica, dotada de leis estruturais, especificidade e solidariedade funcional entre as partes; além disso, tal como os organismos vivos, a sociedade é pensada como totalidade dotada de história, que nasce e caduca como os seres vivos, isto é, não é imutável, sofre transformações.

Pela segunda analogia temos a razão pela qual o capitalismo da Inglaterra foi tomado como universo de pesquisa e caso exemplar. Segundo Marx, o regime de produção capitalista inglês estava mais desenvolvido que na Alemanha e outros países europeus; a existência de uma legislação fabril atestava o seu grau de desenvolvimento; na Alemanha, as relações sociais capitalistas estavam em contradição com relações sociais derivadas de modos de produção anteriores, ou seja, "perturbadas" e apresentando maior complexidade para a análise e abstração do que o capitalismo inglês. Além disso, diz Marx, "comparada com a inglesa, é precária a estatística social da

---

3. Marx, Karl, *idem, ibidem*, p. 4.

Alemanha e dos demais países da Europa Ocidental",[4] o que permite maior conhecimento factual da situação concreta de vida dos trabalhadores através dos informes dos inspetores de fábricas, dos médicos da saúde pública bem como dos comissários que investigam a situação das mulheres e crianças nas fábricas. Por último, na Inglaterra, "é palpável o processo revolucionário"[5]. É evidente que Marx não identificou os seus procedimentos com os do físico e do biologista. Podemos inferir, entretanto, que o autor parte de uma perspectiva totalizadora na qual a sociedade burguesa é compreendida como um sistema social sujeito a transformações. Podemos inferir também que, embora o capitalismo inglês seja considerado um caso exemplar do regime de produção capitalista, o objetivo da obra transcende os limites do próprio universo de pesquisa. Trata-se de compreender teoricamente o que é o capital e não o capitalismo inglês do século XIX. Ou melhor, *um* é o, na medida em que se realiza uma leitura essencial do que é o capital através de uma de suas concreções históricas. O capitalismo inglês, na sua singularidade, materializa as características universais do regime de produção capitalista, ou seja, as suas leis.

Passemos agora para o posfácio da segunda edição alemã de *O capital*, de 1873. O autor diz: "O método empregado nesta obra, conforme demonstram as interpretações contraditórias, não foi bem compreendido".[6] A *Révue Positiviste* afirma que Marx trata a economia metafisicamente e que, ao mesmo tempo, se limita à análise crítica de uma situação dada, sem previsões para o futuro. Sieber parece tê-lo compreendido de forma diferente dos positivistas: "O método de Marx é o dedutivo de toda a escola inglesa";[7] M. Block diz que o método é analítico; os críticos alemães afirmam que se trata de sofística hegeliana; um resenhista russo do periódico de São Petersburgo *Mensageiro Europeu* pondera que é o "método de pesquisas rigorosamente realista",[8] mas que lamentavelmente o método de exposição é "dialético-alemão".[9]

---

4. Marx, Karl, *idem, ibidem*, p. 5.
5. Marx, Karl, *idem, ibidem*, p. 6.
6. Marx, Karl, *idem, ibidem*, p. 13.
7. Marx, Karl, *idem, ibidem*, p. 13.
8. Marx, Karl, *idem, ibidem*, p. 14.
9. Marx, Karl, *idem, ibidem*, p. 14.

A distinção entre *método de pesquisas* e *método de exposição* feita pelo resenhista russo de *O capital* é retomada por Marx: "É mister, sem dúvida, distinguir formalmente o método de exposição do método de pesquisa. A investigação tem de apoderar-se da matéria em seus pormenores, de analisar suas diferentes formas de desenvolvimento e de perquirir a conexão íntima que há entre elas. Só depois de concluído esse trabalho é que se pode descrever adequadamente o movimento real. Se isto se consegue, ficará espelhada, no plano ideal, a vida da realidade pesquisada, o que pode dar a impressão de uma construção *a priori*".[10]

É muito importante observar tal diferença. O método de pesquisa é a investigação de ordem empírica, a coleta dos dados, a sua classificação, o conjunto de técnicas e procedimentos adequados à apropriação analítica do material empírico — é preciso não esquecer que Marx escolheu a Inglaterra, entre outras razões, porque nela o levantamento estatístico a respeito da situação dos trabalhadores nas fábricas era menos precário que na Alemanha e demais países da Europa Ocidental. O método de exposição é a reconstrução racional e teórica da realidade pesquisada, mas a exposição só é possível *a posteriori* da pesquisa empírica. Ou seja, o fato de a pesquisa empírica preceder a exposição teórica mostra que *O capital* não pretende ser uma construção apriorista e escolástica — embora possa até se assemelhar à especulação metafísica, sob o ponto de vista meramente formal. Pelo seu caráter analítico e altamente abstrato, o capítulo primeiro de *O capital* carrega consigo todas as dificuldades da exposição teórica que tenta espelhar, pelo avesso, a realidade da mercadoria.

A mercadoria: aparência e essência

O capítulo primeiro do livro primeiro de *O Capital* tem quatro partes distintas. Percebemos, nos diferentes níveis da exposição, pelo menos três definições de Mercadoria.

À primeira vista, a mercadoria nos aparece como "um objeto externo, uma coisa que, por suas propriedades, satisfaz necessidades

---

10. Marx, Karl, *idem, ibidem*, p. 16.

humanas, seja qual for a natureza, a origem delas, provenham do estômago ou da fantasia";[11] ou seja, a mercadoria é por nós representada como um objeto útil, que atende às nossas necessidades, quer materiais quer espirituais. Em termos teóricos, ela é definida como um valor-de-uso. Enquanto valor-de-uso ela é reconhecida, de modo imediato, pelos nossos sentidos, pelas suas propriedades materiais específicas e particulares.

Na sociedade burguesa capitalista, os valores-de-uso são bens que compramos ou vendemos, ou seja, são valores de troca. Em suma, mercadoria é definida, num primeiro nível, como valor-de-uso e valor de troca. Tal definição deriva da prática social cotidiana de venda e compra de mercadorias.

Na terceira parte do primeiro capítulo, após dilatar o universo do discurso com os conceitos teóricos de trabalho concreto e trabalho abstrato, valor e magnitude de valor e outros, Marx redefine a mercadoria: "De acordo com hábito consagrado, se disse, no começo deste capítulo, que a mercadoria é valor-de-uso e valor de troca. *Mas isto, a rigor, não é verdadeiro. A mercadoria é valor-de-uso ou objeto útil e 'valor'*. Ela revela seu duplo caráter, o que ela é realmente, quando, como valor, dispõe de uma forma de manifestação própria, diferente da forma natural dela, a forma de valor de troca; e ela nunca possui essa forma, isoladamente considerada, mas apenas na relação de valor ou de troca com uma segunda mercadoria diferente. Sabendo isto, não causa prejuízo aquela maneira de exprimir-se, servindo, antes, para poupar tempo"[12] (os grifos são meus).

Na segunda definição o autor nega a verdade da primeira definição, afirmando que ela é correta de um ponto de vista pragmático, embora não reflita a "essência" da mercadoria.

A segunda definição não seria possível sem o processo da abstração: "valor" é uma propriedade concreta, mas impalpável aos sentidos,[13] de toda e qualquer mercadoria. O valor-de-uso, ao contrário, é constituído por múltiplas propriedades materiais, concretas e

---

11. Marx, Karl, *idem, ibidem*, p. 41.
12. Marx, Karl, *idem, ibidem*, pp. 68-69.
13. Marx, Karl, *idem, ibidem*, p. 55: "A coisa-valor se mantém imperceptível aos sentidos".

empíricas, imediatamente apreensíveis pelos sentidos. Isso quer dizer que a segunda definição revela a essência contraditória do ser da mercadoria,[14] a contradição entre as suas propriedades constitutivas.

A terceira definição, contida na quarta parte do capítulo sob o título "O fetichismo da mercadoria: o seu segredo", causa perplexidade: Marx discorre sobre a mercadoria de maneira antropomórfica, como se ela tivesse pés, mãos, cabeça, ideias, iniciativa. Em outras palavras, como objeto misterioso e fantasmagórico. Diz: "À primeira vista, a mercadoria parece ser coisa trivial, imediatamente compreensível. Analisando-a, vê-se que ela é algo muito estranho, cheio de sutilezas metafísicas e argúcias teológicas".[15] Mais além: "o caráter misterioso que o produto do trabalho apresenta ao assumir a forma mercadoria, de onde provém? Dessa própria forma, é claro".[16]

É preciso observar que a terceira definição completa um círculo dialético que tomou a mercadoria como ponto de partida e ponto de chegada. Mas é evidente que a terceira definição desmente a primeira de forma cabal. A mercadoria, tal como é representada por nós, numa primeira instância, aparece como mera utilidade ou meio para atender a uma finalidade, ou seja, para atender às nossas necessidades materiais e espirituais. Ela reaparece, no final da análise, como um objeto não-trivial, não como um meio para atender a um fim: "chamo a isto de fetichismo, que está sempre grudado aos produtos do trabalho, quando são gerados como mercadorias. É inseparável da produção das mercadorias".[17]

Dizer que a mercadoria é fetiche, ou melhor, dizer que a forma-mercadoria transforma os produtos do trabalho em fetiches. significa dizer que a mercadoria é um objeto não-trivial dotado de poder sobre as nossas necessidades materiais e espirituais. Não é, pois, a mercadoria que está a serviço de nossas necessidades e sim, às nossas necessidades é que estão submetidas, controladas e manipuladas pela vontade e inteligência do universo das mercadorias!

---

14. Marx, Karl, *idem, ibidem*, p. 69.
15. Marx, Karl, *idem, ibidem*, p. 79.
16. Marx, Karl, *idem, ibidem*, p. 80.
17. Marx, Karl, *idem, ibidem*, p. 81.

A terceira definição revela a essência da mercadoria pela negação de sua aparência de objeto trivial a serviço de nossas necessidades. Ou seja, ela inverte as inversões contidas nas representações imediatas e primeiras das mercadorias. O esforço teórico que culminou na apreensão do caráter essencialmente falso, fantasmagórico e ideológico do ser da forma--mercadoria é, sem dúvida, um movimento negativo de pensamento que pensa o objeto pelo seu avesso.

Em suma, a trivialidade da mercadoria é uma falsa trivialidade que esconde o seu caráter misterioso, a utilidade da mercadoria é uma falsa utilidade na medida em que as nossas necessidades é que são por ela utilizadas. A mercadoria é um fetiche tanto quanto nossa vontade é pura heteronomia.

O circuito dialético, portanto, representou a subversão total do senso comum, dos conceitos pragmáticos, das verdades cotidianas. O método de exposição não reproduziu racionalmente a realidade concreta na sua positividade imediata. O pensar não seguiu o ser, e sim, o inverteu. Se houve reprodução do real, foi reprodução pelo seu avesso. O concreto-pensado pelo método da exposição é exatamente o contrário do concreto tal como é vivido e representado por nós.

Do ponto de vista do método, houve um movimento de regressão ao ponto de partida (mercadoria) mas, evidentemente, no ponto de chegada (mercadoria) aumentou o nível de compreensão do objeto. Isso quer dizer que não há equivalência entre o ponto de partida e o ponto de chegada, mesmo que o objeto seja único, a mercadoria. Na forma de diagrama, o percurso realizado foi o de uma espiral. As representações imediatas do objeto "mercadoria" foram mediatizadas pela teoria.

Voltando à distinção entre método de pesquisa e método de exposição, ficou-nos claro que sem pesquisa empírica não há exposição teórica, dado que a exposição não é e não pode ser mera construção *a priori*. É preciso, agora, acrescentar: a pesquisa empírica não é autossuficiente, do ponto de vista da dialética de Marx. Os dados empíricos, por mais rigorosamente que sejam coletados, permanecem presos às ilusões e inversões ideológicas das representações imediatas dos objetos sociais. Eles necessitam, portanto, ser interpretados e convertidos pela mediação teórica, ou seja, os dados imediatos devem ser mediatizados pela teoria.

O *método de exposição* ou método dialético, embora teórico e racional, não tem qualquer postulado de ordem idealista, na medida em que tem a pesquisa empírica como exigência básica, mas tampouco advoga o princípio empirista da auto-inteligibilidade do empírico.

O capital em sua generalidade

O objetivo da obra *O capital* é saber o que é o capital em geral. Após os capítulos sobre a mercadoria, o processo de troca e o dinheiro, o capital é definido como valor em progressão ou valor que gera mais valor: "O valor se torna valor em progressão, dinheiro em progressão e, como tal, capital. Sai da circulação, entra novamente nela, mantém-se e multiplica-se nela, retorna dela acrescido e recomeça incessantemente o mesmo circuito. D-D, dinheiro que se dilata, dinheiro que gera dinheiro, conforme a definição de capital que sai da boca dos seus primeiros intérpretes, os mercantilistas".[18]

A sequência dos capítulos tem sua razão de ser lógica. O método de exposição é um movimento de pensamento que passa por várias determinações do conceito de capital, das mais simples e imediatas às mais complexas e profundas. Progressivamente, o pensamento se apropria das determinações da esfera da circulação e da troca para alcançar as determinações mais complexas e ricas da esfera da produção, ou seja, da mercadoria, forma de valor simples, forma de valor total, forma de valor universal, forma dinheiro, determinações do dinheiro — que pertencem à esfera imediata das trocas mercantis — às do valor, mais-valia, mais-valia absoluta, mais-valia relativa, trabalho assalariado, exploração, da esfera da produção.

É um movimento progressivo-regressivo. É progressivo porque as determinações da esfera da circulação não nos dão a plena riqueza das determinações do capital,[19] de forma que as determinações essenciais são as da produção, que não são imediatas. É regressivo porque o ponto de partida da exposição é o capital em geral e o ponto de chegada também. Mas é evidente que só com as determinações mais superficiais, apropriadas sucessivamente, não se alcança a essência do concreto "capital".

---

18. Marx, Karl, *idem, ibidem*, pp. 174-175.

19. Marx, Karl, *idem, ibidem*, p. 183: "a circulação ou troca de mercadorias não cria nenhum valor".

Na prática social nós adquirimos uma vivência do que é o capital e com ele aprendemos a lidar, às vezes, com êxito. No entanto, a vivência do capital, o que o capital é para nós, não coincide com o que ele realmente é. Ou seja, temos uma prática ou conhecimento pragmático do capital que não coincide com a ciência do capital, da mesma maneira que o conhecimento prático da mercadoria não equivale ao conhecimento de sua essência.

No tópico relativo ao método da economia política da obra *Para a crítica da economia política* (1857), Marx diz: "O concreto é concreto porque é síntese de muitas determinações, isto é, unidade do diverso. Por isso o concreto aparece no pensamento como o processo da síntese, como resultado, não como ponto de partida, ainda que seja o ponto de partida efetivo e, portanto, o ponto de partida também da intuição e da representação".[20] O concreto pensado é, de fato, um produto do movimento do pensamento, do esforço racional que mediatiza as representações imediatas do concreto efetivo, ou seja, transforma as representações em conceitos.[21]

Daí se segue que o movimento de pensamento que se apropria do concreto como concreto pensado "não é, *de modo nenhum*, o processo de gênese do próprio concreto",[22] ou seja, não reconstrói a história do regime de produção capitalista; o seu caráter progressivo (das determinações simples às complexas), entretanto, mostra que ele reconstrói racional e teoricamente o processo de *gênese categorial* do capital enquanto concreto pensado.

Algumas conclusões relativas ao método dialético em *O capital*

Das pistas e indicações contidas na obra mencionada, podemos tirar, a título provisório e sem aprofundamento, algumas conclusões sobre o método dialético: 1) ele aparece, antes de mais nada,

---

20. Marx, Karl, *Para a crítica da economia política,* trad. port. Edgard Malagodi e colaboração de J. Arthur Giannotti, São Paulo: Abril Cultural, 1982, p. 14.
21. Marx, Karl, *idem, ibidem*, p. 15.
22. Marx, Karl, *idem, ibidem*, p. 14.

como um método de exposição, teórico, especulativo, racional, mas não apriorista, uma vez que pressupõe a pesquisa empírica; 2) um método crítico, na medida em que a conversão dialética, que transforma o imediato em mediato, a representação em conceito, é negação das aparências sociais, das ilusões ideológicas do concreto estudado; 3) um método progressivo-regressivo, patente na espiral dialética em que ponto de partida e ponto de chegada coincidem mas não se identificam.

É evidente que, enquanto movimento de pensamento, está regido por leis ou categorias da ordem do pensamento. Tomemos como exemplo a manifestação do valor, enquanto propriedade oculta das mercadorias, na chamada "relação de valor" que é a equação geral das trocas mercantis. Para que uma mercadoria, ou melhor, o seu valor-de-uso sirva de espelho para o valor de outra mercadoria, é preciso que haja uma conversão dos contrários um no outro. Por meio da conversão dos contrários, o valor-de-uso se torna a forma de manifestação do seu contrário, isto é, do valor;[23] o trabalho concreto se torna forma de manifestação do seu contrário, trabalho humano abstrato;[24] o trabalho privado se torna a forma de seu contrário, o trabalho em forma diretamente social.[25] Em outras palavras, na manifestação do valor, uma propriedade mediata se imediatiza em propriedade visível, concreta.

Outro exemplo é a relação universal-particular pensada pela categoria da Mediação (*Vermittlung*). A analogia "organismo-célula", mencionada no prefácio da primeira edição alemã, nos diz que a sociedade burguesa é organismo e a mercadoria é célula, ou seja, estabelece uma relação todo-parte, universal-particular entre uma e outra. Tal relação é de identidade e diferença: a parte materializa o todo mas o todo não é o conjunto de partes, nem é a parte, o todo.

Enquanto reflexo do sistema social capitalista, a mercadoria contém contradições inerentes a ele:

— a mercadoria é um ser contraditório, na medida em que é constituída por propriedades opostas do valor-de-uso e valor; a

---

23. Marx, Karl, *O Capital*, I, p. 64.
24. Marx, Karl, *O Capital*, I, p. 67.
25. Marx, Karl, *O Capital*, I, p. 67.

sua contradição interna reproduz a contradição externa entre trabalho concreto e trabalho abstrato própria do regime de produção capitalista;

— a forma-mercadoria é uma forma fantasmagórica, mistificadora, que esconde o seu poder sobre as necessidades humanas, tal como são fantasmagóricas as relações sociais burguesas que, a nível imediato e superficial, se apresentam como relações simétricas, igualitárias, e não relações de poder. As características macroestruturais estão, pois, refletidas e reproduzidas em suas microunidades.

Outras observações poderiam ainda ser feitas sobre a maneira de proceder do pensamento objetivado em *O capital*. Ficaremos, no entanto, restritos a essa leitura preliminar.

Bibliografia

Marx, K., *O capital*, livro I, trad. port. Reginaldo Sant'Anna, 6ª ed. Rio de Janeiro: Civilização Brasileira, 1980.
Marx, K., *Para a crítica da economia política*, trad. port., Edgard Malagodi *et alii*, São Paulo: Abril Cultural, 1982.
Fausto, R., *Marx: lógica e política,* tomo I, São Paulo: Ed. Brasiliense, 1983.
Cardoso, F. H., *Capitalismo e escravidão no Brasil Meridional*, Rio de Janeiro: Paz e Terra, 1977.
Muller, M., "Epistemologia e Dialética", *Caderno de História e Filosofia da Ciência*, nº 2, UNICAMP, 1981.

Parte 2
As categorias fundamentais da psicologia social

Linguagem, pensamento e representações sociais

Silvia Tatiana Maurer Lane

Skinner inicia o seu *Verbal Behavior* com a seguinte frase: "Os homens agem sobre o mundo e o transformam, e são, por sua vez, transformados pelas consequências de suas ações". E mais adiante define comportamento verbal como todo aquele mediado por outra pessoa, e assim inclui, no verbal, gestos, sinais, ritos e, obviamente, a linguagem. Assim, podemos dizer que o homem ao falar transforma o outro e, por sua vez, é transformado pelas consequências de sua fala.

Porém é necessário, para uma compreensão mais profunda do comportamento verbal, analisá-lo em um contexto mais amplo considerando-se o ser humano como manifestação de uma totalidade histórico-social, produto e produtor de história.

Deste modo partimos do pressuposto que a linguagem se originou na espécie humana como consequência da necessidade de transformar a natureza, através da cooperação entre os homens, por meio de atividades produtivas que garantissem a sobrevivência do grupo social. O trabalho cooperativo exigindo planejamento, divisão de trabalho, exigiu também um desenvolvimento da linguagem que permitisse ao homem agir, ampliando as dimensões de espaço e tempo.

A linguagem, como produto de uma coletividade, reproduz através dos significados das palavras articuladas em frases os conhecimentos — falsos ou verdadeiros — e os valores associados a práticas sociais que se cristalizaram; ou seja, a linguagem reproduz uma visão de mundo, produto das relações que se desenvolveram a partir do trabalho produtivo para a sobrevivência do grupo social. Sob esta perspectiva, qualquer análise da linguagem implica considerá-la como produto histórico de uma coletividade. (Skinner define "tato" como sendo os significados das palavras, e seriam variáveis independentemente produzidas pelo grupo social ao qual o indivíduo pertence.) Desta forma a aprendizagem da língua materna insere a criança na história de sua sociedade, fazendo com que ela reproduza em poucos anos o processo de "hominização" pelo qual a humanidade se produziu, tornando-a produto e produtora da história de seu grupo social.

A última frase do livro de Vygotski sintetiza todo este processo ao afirmar que "Uma palavra é um microcosmo da consciência humana". Daí a importância fundamental que tem a aquisição materna para a compreensão de qualquer comportamento do ser humano — e esta só pode ser analisada numa abordagem interdisciplinar. O que não significa que a Psicologia deixe de ter a sua especificidade na contribuição do conhecimento deste processo.

Seja Skinner, Piaget, Vygotski, Malrieu ou Leontiev, todos são concordes em afirmar que a função primária da linguagem é a comunicação e o intercâmbio social, através da qual a criança representa o mundo que a cerca e que influenciará seu pensamento e suas ações no seu processo de desenvolvimento e de hominização.

Cada um destes autores traz a sua contribuição para um conhecimento psicológico da aprendizagem da linguagem: Skinner, pela análise empírica que faz, demonstra a materialidade de falar e pensar; Piaget e Malrieu apontam para a gênese social das representações da criança e como ela desenvolve sua visão de mundo; Vygotski e Leontiev, concebendo o ser humano como manifestação de uma totalidade histórico-social, vêem a linguagem como fundamental para o desenvolvimento da consciência de si e social de indivíduo, a qual se processa através da linguagem, do pensamento e das ações que o homem realiza ao se relacionar com outros homens.

A análise que Leontiev faz da aprendizagem da língua materna aponta para dois processos que se interligam necessariamente: se, por um lado, os significados atribuídos às palavras são produzidos pela coletividade, no seu processar histórico e no desenvolvimento de sua consciência social, e como tal, se subordinam às leis histórico-sociais, por outro, os significados se processam e se transformam através de atividades e pensamentos de indivíduos concretos e assim se individualizam, se "subjetivam", na medida em que "retornam" para a objetividade sensorial do mundo que os cerca, através das ações que eles desenvolvem concretamente.

Desta forma os significados produzidos historicamente pelo grupo social adquirem, no âmbito do indivíduo, um "sentido pessoal", ou seja, a palavra se relaciona com a realidade, com a própria vida e com os motivos de cada indivíduo.

Creio ser oportuno, a esta altura, retomar uma análise feita por Terwilliger quando afirma ser a palavra uma arma de poder, demonstrando o quanto a imposição de um significado único e absoluto à palavra é uma forma de dominação do indivíduo, como ocorre em situações de hipnose, de comando militar e de lavagem cerebral. Todas as situações onde a ambiguidade ou alternativas de significados levam à negociação de qualquer um destes processos.

Esta arma de poder só é dominada pelo confronto que o indivíduo possa fazer entre diferentes significados possíveis e a realidade que o cerca — aliás, este é o princípio proposto e defendido por Paulo Freire — condição para um pensamento crítico, para o desenvolvimento da consciência social e, consequentemente, para a criatividade que transforma as relações entre os homens.

Esta análise nos permite apontar para uma função da linguagem que é a mediação ideológica inerente nos significados das palavras, produzidas por uma classe dominante que detém o poder de pensar e "conhecer" a realidade, explicando-a através de "verdades" inquestionáveis e atribuindo valores absolutos de tal forma que as contradições geradas pela dominação e vividas no cotidiano dos homens são camufladas e escamoteadas por explicações tidas como verdades "universais" ou "naturais", ou, simplesmente, como "imperativos categóricos" em termos de "é assim que deve ser".

Voltando para a aprendizagem da língua materna, a criança ao falar reproduz a visão de mundo de seu grupo social, assim como a ideologia que permeia e mantém as relações sociais desse grupo, e é levada a agir de forma a não perturbar a "ordem vigente", caso contrário ela será considerada um "anormal", um "marginal", e como tal afastada do convívio social. E quando os estudos apontam para a família desestruturada como responsável pela marginalização da criança, podemos supor que ela aprendeu significados contraditórios, concepções de mundo incompatíveis e, incapaz ainda de um pensamento crítico e de atividades significativas, desempenha comportamentos inaceitáveis pelo seu grupo social.

Por outro lado, observações de crianças em famílias bem estruturadas "nos mostraram que o papel de filho é, desde os primeiros anos de vida, inculcado em termos de "obediente, bem-comportado, respeitador dos mais velhos", a ponto de, quando questionada sobre um fato ocorrido no dia anterior, que fora relatado pela mãe como desobediência e birra da criança, este é descrito por ela apenas considerando o final do episódio, isto é, ela obedeceu a mãe, como convém a um bom filho.

Essas observações foram feitas a partir de uma indagação de como a criança sentia e reagia às punições de seus pais, e, depois, não entendemos como e por que as crianças se submetem às violências do adulto...

Este fato mostra o quanto a autoridade é cercada de valores e de emoções que a tomam inquestionável e absoluta, reproduzindo relações sociais esperadas pelo grupo.

Todo este processo de reprodução das relações sociais está baseado em como a criança ao falar constrói suas representações sociais, entendidas como uma rede de relações que ela estabelece, a partir de sua situação social, entre significados e situações que lhe interessam para sua sobrevivência.

Segundo Malrieu, "a representação social se constrói no processo de comunicação, no qual o sujeito põe à prova, através de suas ações, o valor — vantagens e desvantagens — do posicionamento dos que se comunicam com ele, objetivando e selecionando seus comportamentos e coordenando-os em função de uma procura de personalização". Desta forma, a representação social se estrutura tanto pelos objetivos da ação do sujeito social como pelos dados que concordam ou que se opõem a eles.

Usando uma situação simples para ilustrar, imaginemos uma criança entre um ano e um ano e meio de idade, brincando com uma bola — um objeto redondo que corre, rola, pula se atirada com força — há toda uma série de ações para experienciar e investigar este objeto denominado "bola". Na presença de um adulto, este objeto será designado por "bola"; é possível que a criança repita apenas "bó" e seja reforçada pelo adulto. Enquanto ela faz a bola correr pelo chão, repetindo "bó", "bó", provavelmente o adulto estará sorrindo e repetindo com ela: "a bola", ou "bola bonita", "bola redonda". Num dado momento a bola é jogada para o alto, pondo em perigo um vaso precioso: "Cuidado! Não jogue a bola assim!" E agora, "'bó' é perigosa, é ruim, mamãe não gosta...". E assim a criança cria a sua representação de bola que permitirá que ela se comunique com os outros, planejando o seu jogo ou narrando fatos já ocorridos.

E neste processo de comunicação, a criança vai estruturando o seu mundo que, inicialmente, se encontra em um estado nebuloso, através de um sistema de significantes proporcionado pelos que a rodeiam, e também vai encontrando formas de se autodefinir, "às custas de uma esquematização e de uma deformação inevitáveis e sempre superáveis".

Malrieu mostra como a comunicação e a personalização (enquanto identificação e diferenciação) determinam e são determinadas pelas representações, que implicam objetivação, seleção, coordenação das posições dos outros e de si mesmo. As representações, por sua vez, também estão duplamente vinculadas com a atividade semiótica que se caracteriza pela elaboração dos significantes, decorrentes do processo de comunicação.

O autor conclui mostrando as formas como a linguagem participa na elaboração das representações, ou seja, como tomada de consciência de uma realidade através de comunicações com adultos que levam a práticas e a diálogos sobre elas, as quais vão se estruturando.

Por outro lado, as práticas, as percepções, os conhecimentos se transformam quando são falados e a própria representação de si mesmo só ocorre através da linguagem interiorizada das recordações e dos projetos.

E, por último, na medida em que toda representação implica uma comparação, ela propicia uma "objetivação que é uma das bases do controle que se pode exercer sobre as ações e emoções. A construção de um motivo organizador das próprias ações irá permitir tanto a compreensão destas ações por meio das informações dos demais como o acesso às confrontações das possibilidades que estão na base das operações" (p. 97).

Uma análise concreta das representações que um indivíduo tem do mundo que o rodeia, só é possível se as considerarmos inseridas num discurso bastante amplo, onde as lacunas, as contradições e, consequentemente, a ideologia possam ser detectadas. Este discurso amplo, para muitos autores, seria a visão de mundo que o individuo tem, porém permanece a questão do que vem a ser, no plano individual, esta visão de mundo.

É François Flahault quem nos dá algumas pistas para esta análise mais concreta das representações sociais. Ele parte da análise de *atos ilocutórios*, ou seja, as falas que caracterizam as posições ocupadas pelos interlocutores, de forma explícita ou implícita. No primeiro caso teríamos as ordens, os pedidos, os insultos que explicitamente definem a relação existente entre os interlocutores: um manda, o outro obedece, um pede, o outro concede. Os atos ilocutórios implícitos, por sua vez, só são compreendidos em relação às posições que os interlocutores ocupam e ao mesmo tempo definem as respectivas posições, "...toda palavra, por mais importante que seja seu valor referencial e informativo, é formulada também a partir de um 'o que sou para você, o que você é para mim' e é operante neste campo; a ação que ela representa a título destas trocas se manifesta através do que se pode chamar de 'atos ilocutórios' ou 'efeitos de posição'" (p. 50).

Por outro lado, os atos ilocutórios implícitos decorrem do fato de que "os individuas não são donos de operar seus posicionamentos, pois, pelo contrário, este posicionamento é que estabelece suas identidades" (p. 52).

Deste modo Flahault mostra como a ação de falar implica relações de posições e a língua se apresenta como resultado e como matéria-prima do processo discursivo. A relação da linguagem com o real necessariamente sofre a mediação das posições sociais de grupo e/ou classe social e portanto um discurso está sempre em confronto com um mundo já repleto de significações sempre já ordenado, sempre já socialmente arrumado; um mundo que é o efeito de "uma produção social dos sentidos, que reproduz inevitavelmente a produção material, e pela inserção de cada indivíduo, corpo e alma, neste universo semiológico" (p. 85). Entendendo-se por universo semiológico o conjunto de signos socialmente criados — seria a natureza socialmente recriada e transformada. Neste sentido, este universo traz em si toda a ideologia de uma sociedade que se reproduzirá na linguagem e nos discursos situados.

Compreender representações sociais implica então conhecer não só o discurso mais amplo, mas a situação que define o indivíduo que as produz. Para tanto Flahault desenvolve a noção de Espaço de Realização do Sujeito (ERS).

Este espaço é "o retorno, a manifestação, em figuras indefinidamente variáveis, de uma instância que atuou de início como *constitutiva* do sujeito: a linguagem enquanto que Outro (grande Outro lacaniano), enquanto que laço absoluto ao qual todos estão sujeitos" (p. 54).

O ERS ao mesmo tempo que é constitutivo do Sujeito, do seu eu, também fundamenta a representação da sociedade, tendo uma função reguladora através do imaginário, do simbólico e do ideológico imbricados num todo, no qual a ideologia tem por função; no ERS, constituir os indivíduos em sujeitos identificados (p. 156). Desta forma o ERS é o espaço da comunicação, da intersubjetividade, das relações sociais que identificam o indivíduo, e assim produz e reproduz a formação social nos indivíduos que a compõem.

Resumindo, o ERS se apresenta: 1) como *objetivos comuns* ao grupo social, que superam os fins particulares; 2) como um conjunto de regras valores; 3) como substância enquanto mediação de realidades materiais e corporais, através da linguagem, que levam a práticas que definem uma realização limitada e específica do sujeito e uma mediação que o põe em relação com vários outros sujeitos.

FIGURA 1

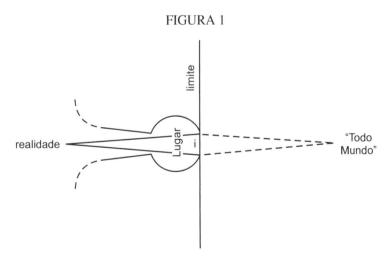

Concluindo, para conhecermos as representações sociais de um indivíduo é necessário, através dos atos ilocutórios explícitos e implícitos, definirmos o lugar que ele ocupa em relação aos outros (os que se "limitam" com ele), e através do discurso como seu espaço se constitui nesta relação, enquanto realidade subjetiva que se insere no real, socialmente representado e reproduzido em termos de "todo mundo".

Bibliografia

Lane, S. T. M., *O que é psicologia social?*, São Paulo: Ed. Brasiliense, 1981.

Leontiev, A., *Actividad, Consciencia y Personalidad*, Buenos Aires: Ed. Ciencias del Hombre. 1978.

Malrieu, P., *Lenguage y representacion in la génesis del lenguage, su apresendizage y desarollo* (Simpósio da Associação de Psicologia Científica Francesa), Madri, Pablo del Rio Editor, 1978.

Piaget, J. et alii, *Introducción a la psycholinguística*.

Skinner. B. F., *Verbal Behavior* – Nova Yorque, Appleton-Century-Crofts, 1957.

Terwilliger, R. F., *Meaning and Mind: A Study in the Psichology of Language*, Londres: Oxford University Press. 1968.

Vygotsky, L. S., *Pensamiento y lenguaje*. Buenos Aires: Editoria la Plyade, 1973.

Flahault, F., *La parole intermédiaire*, Paris: Eds. du Seuil. 1978.

Consciência/alienação: a ideologia no nível individual*

*Silvia Tatiana Maurer Lane***

O indivíduo sujeito da história é constituído de suas relações sociais e é, ao mesmo tempo, passivo e ativo (determinado e determinante). Ser mais ou menos atuante como sujeito da história depende do grau de autonomia e de iniciativa que ele alcança. Assim ele é história na medida em que se insere e se define no conjunto de suas relações sociais, desempenhando atividades transformadoras destas relações; o que implica, necessariamente, atividade prática e inteligência, tão inseparáveis quanto, no nível da sociedade, são inseparáveis a infra e a superestrutura, e cuja unidade é estabelecida por um *processo* cujo agente exclusivo é a atividade humana em suas diferentes formas.

É dentro deste contexto que devemos analisar como a ideologia, presente em atividades superestruturais da sociedade, se reproduz a nível individual, levando-o a se relacionar socialmente de forma orgânica e reprodutora das condições de vida, e também como,

---

* Este capítulo foi publicado com o título "Ideologia no Nível Individual" in Educação e Sociedade, nº 14, abril de 1983, São Paulo.
** Participaram das discussões que deram origem ao texto os Professores Antonio da C. Ciampa, Bader B. Sawaia, Brigido V. Camargo, Carlos Peraro Filho, Dirceu Pinto Malheiro, Eliana Bertolucci, Maribele Viegas, Marília Fozati, Marise R. Vianna, Odair Furtado, Suely Ongaro, Wandarley Codo e Luiz A. Rahal, membros de um grupo de pesquisa do pós-Graduação em Psicologia Social da PUC-SP.

no plano da ideologia, o indivíduo se torna consciente dos conflitos existentes no plano da produção de sua vida material.

O homem como ser ativo e inteligente se insere historicamente em um grupo social através da aquisição da linguagem, condição básica para a comunicação e o desenvolvimento de suas relações sociais e, consequentemente, de sua própria individualidade.

A linguagem, enquanto produto histórico, traz representações, significados e valores existentes em um grupo social, e como tal é veículo da ideologia do grupo; enquanto para o indivíduo é também condição necessária para o desenvolvimento de seu pensamento.

É preciso ressaltar que nem todas as representações implicam necessariamente reprodução ideológica; esta se manifesta através de representações que o indivíduo elabora sobre o Homem, a Sociedade, a Realidade, ou seja, sobre aqueles aspectos da sua vida a que, explícita ou implicitamente, são atribuídos valores de certo-errado, de bom-mau, de verdadeiro-falso. No plano superestrutural a ideologia é articulada pelas instituições que respondem pelas formas jurídicas, políticas, religiosas, artísticas e filosóficas; no plano individual, elas se reproduzem em função da história de vida e da inserção específica de cada indivíduo. Desta forma a análise da ideologia deve, necessariamente, considerar tanto o discurso onde são articuladas as representações, como as atividades desenvolvidas pelo indivíduo. A análise ideológica é fundamental para o conhecimento psicossocial pelo fato de ela determinar e ser determinada pelos comportamentos sociais do indivíduo e pela rede de relações sociais que, por sua vez, constituem o próprio indivíduo.

Neste sentido, podemos entender como é que no plano ideológico, o indivíduo pode se tornar consciente ao detectar as contradições entre as representações e suas atividades desempenhadas na produção de sua vida material.

Quando falamos em consciência de si como sendo necessariamente consciência social, a alienação definida pela psicologia em termos de doença mental, neuroses etc., se aproxima da concepção sociológica de alienação.

Se no plano sociológico é feita a análise da relação de dominação entre as classes sociais, definidas pelas relações de produção da vida material da sociedade, esta relação se reproduz através da mediação superestrutural, via instituições que prescrevem os papéis sociais e que determinam as relações sociais de cada indivíduo.

A alienação se caracteriza, ontologicamente, pela atribuição de "naturalidade" aos fatos sociais; esta inversão do humano, do social, do histórico, como manifestação da natureza, faz com que todo conhecimento seja avaliado em termos de verdadeiro ou falso e de universal; neste processo a "consciência" é reificada, negando-se como processo, ou seja, mantendo a alienação em relação ao que ele é como pessoa e, consequentemente, ao que ele é socialmente.

Neste ponto se torna necessário distinguir, em termos de níveis, consciência social de consciência de classe; esta última é um processo essencialmente grupal e se manifesta quando indivíduos conscientes de si se percebem sujeitos das mesmas determinações históricas que os tomaram membros de um mesmo grupo, inseridos nas relações de produção que caracterizam a sociedade num dado momento. Nesta perspectiva, o pertencer a um grupo cujas ações expressam uma consciência de classe pode ser condição para que um indivíduo desencadeie um processo de conscientização de si e social. Desta forma, consciência de classe é uma categoria basicamente sociológica, enquanto consciência de-só-social é uma categoria psicológica. Porém elas são intersociáveis no plano da ação, tanto individual como grupal.

O indivíduo consciente de si, necessariamente, tem consciência de sua pertinência a uma classe social; enquanto indivíduo, esta consciência se processa transformando tanto as suas ações a ele mesmo; porém, para uma atuação enquanto classe, ele necessariamente deve estar inserido em um grupo que age enquanto tal (por exemplo, uma greve, uma assembleia, exigem grupos organizados em torno de uma consciência comum de sua condição social).

Permanece em aberto uma questão: o que ocorre com um indivíduo consciente em um grupo alienado? Ou seja, as contradições sociais estão claras, mas ele é impedido, a nível grupal, de qualquer ação transformadora — não seria esta uma situação geradora de doença mental, como fuga de uma realidade insustentável? (É a hipótese levantada por A. Abib Andery.)

A questão da alienação — consciência só poderá ser analisada, no plano individual, enquanto processo que envolve, necessariamente, pensamento e ação, mediados pela linguagem — produto e produtora da história de uma sociedade.

O homem age produzindo e transformando o seu ambiente e para tanto ele pensa, planeja sua ação e depois de executada, ela é pensada, avaliada, determinando ações subsequentes, e este pensar se dá através dos significados transmitidos pela linguagem aprendida.

Por outro lado, qualquer ação implica, necessariamente, uma não-ação, e elas só podem coexistir no pensamento; enquanto atividade ou o indivíduo age ou não-age, tomando o pensar uma atividade fundamental, prevendo consequências e levando a uma decisão que se transforma em ação ou não-ação. Opção feita, novamente ela é pensada em termos "e se... mas... portanto...", ou seja, a contradição entre a ação/não-ação é pensada, agora, como avaliação ou justificativa para a decisão tomada.

Esta justificativa, mediada pela linguagem, é um produto subjetivo que poderá estar reproduzindo a ideologia com conteúdos próprios às especificidades do indivíduo. A reprodução da ideologia (enquanto produto superestrutural) como produto subjetivo de ação-pensamento tem, necessariamente, suas raízes históricas, na medida em que a linguagem presente no pensar é um produto do grupo social ao qual o indivíduo pertence, mediando as relações sociais e reproduzindo, no conjunto de seus significados, a ideologia do grupo dominante e suas manifestações específicas no grupo social ao qual o indivíduo pertence.

O pensar uma ação pode simplesmente reproduzir essa ideologia, na medida em que se submete ou a reproduz através de explicações do tipo "é assim que deve ser, é assim que se faz".

Porém, o pensar uma ação pode ser um confronto das possíveis consequências tanto imediatas como mediatas. Este pensar recupera experiências anteriores, quando ações transformaram o ambiente e outras, omitidas, mantiveram o *status quo,* apesar de ter havido uma necessidade que gerou a contradição entre fazer/não fazer. Refletir sobre estas contradições e suas consequências fará com que a ação decorrente seja um avanço no processo de conscientização. Se esta reflexão não ocorre, o pensar a ação se caracterizará por uma resposta pronta, tida como "verdadeira", já elaborada pelo grupo, reproduzindo a ideologia e mantendo o indivíduo alienado.

Desta forma o pensar *ação/não-ação – agir/não-agir* e repensar o *feito/não-feito* traz em si contradições que podem ser resolvidas através de uma explicação, de uma justificativa que encerra o processo com uma elaboração ideológica. Porém se a contradição é enfrentada, é analisada criticamente e é questionada no confronto com a realidade, o processo tem continuidade, onde cada ação é renovada e repensada, ampliando o âmbito de análise e da própria ação, e tem como consequência a conscientização do indivíduo.

Em contraposição, as respostas a ações habituais são exatamente aquelas que se reproduzem sem que ocorra o pensar, tanto antes como depois. Na medida em que estas ações implicam valores e relações sociais, elas estarão, obrigatoriamente, reproduzindo a ideologia dominante, mantendo as condições sociais, ou seja, elas não transformam nem as relações sociais do indivíduo nem a ele mesmo — é a persistência da alienação. (Nesse sentido pode-se entender como, não só o trabalho repetitivo e mecânico de um operário, mas também qualquer atividade rotineira contribui para a alienação do ser humano.)

Esta linha de análise nos permite precisar como a ideologia dominante enquanto produção superestrutural da sociedade, como uma "lógica" que, ao nível individual, se traduz com especificidades e peculiaridades decorrentes da história de vida do indivíduo dentro de seu grupo social, ou seja, do conjunto das relações sociais que constituem o indivíduo.

Concluindo, temos como decorrência metodológica desta análise, a necessidade de pesquisar as *representações* (linguagem-pensamento) juntamente com as *ações* de um indivíduo, este definido pelo conjunto de suas relações sociais, para se chegar ao conhecimento de seu nível de consciência/alienação num dado momento.

Implicações metodológicas

Como captar o *ideológico* e o nível de consciência de um indivíduo, num dado momento, apresenta-se como problema fundamental para a pesquisa em psicologia social, quando ela se propõe a conhecer o indivíduo como ser concreto, inserido numa totalidade histórico-social.

Inicialmente é necessário explicitar alguns pressupostos epistemológicos tais como a relação entre teoria e fatos e a não-neutralidade científica. Na superação da dicotomia entre teoria, de um lado, e o empírico, de outro, o materialismo dialético se propõe a conhecer o concreto, distinto do empírico, e produto de uma análise que, partindo do empírico, o insere num processo o qual permite detectar como são estabelecidas relações que nos levam a conhecer o indivíduo como manifestação de uma totalidade. Assim, fatos e teoria se tornam indissociáveis, tornando o processo científico necessariamente acumulativo em direção ao concreto proposto e, a ciência, um conhecimento relativizado como produção histórica. Neste sentido definições abstratas perdem significado, pois se antes a generalização caracterizava o conhecer, agora é a especificidade do fato, compreendido em todas as suas implicações, que se torna o objetivo do conhecimento científico.

Desta forma a ênfase metodológica está na análise que permitirá, a partir do empírico, do aparente, do estático, e, recuperando o processo histórico específico, chegar-se ao essencial, ao concreto. E isto só é possível através de categorias que nos levam, gradativamente, a análises mais profundas, visando captar a totalidade.

A ciência vista como produto histórico também se relativiza como produção humana e, portanto, perde sua condição de "neutra", pois é sempre fruto de homens situados social e historicamente que determinam o prisma pelo qual os fatos são enfocados, ou seja, as necessidades e valores privilegiados por um grupo social naquele momento.

Na medida em que os fatos estudados implicam uma inserção histórica, não importa quais as especificidades analisadas, o conhecimento necessariamente se processa de forma acumulativa, tanto quando realizado num mesmo momento, como em diferentes épocas; o acumulativo decorre da análise histórica que nos leva ao conhecimento do indivíduo como manifestação de uma totalidade.

Estes pressupostos determinam procedimentos metodológicos para a psicologia social, fundamentais para se atingir o concreto, Ou seja, o indivíduo como manifestação da totalidade histórico-social, que vão desde de qual "empírico" devemos partir até que dimensão interdisciplinar deva ser abarcada.

Se considerarmos, como Leontiev, atividade, consciência e personalidade as categorias fundamentais de análise do fato psicológico, temos como ponto de partida essencial a linguagem, o discurso produzido pelo indivíduo, que transmite a representação que ele tem do mundo em que vive, ou seja, a sua realidade subjetiva, determinada e determinante de seus comportamentos e atividades.

Assim, para se detectar o ideológico e/ou o nível de consciência, partimos do discurso individual produzido na interação com o pesquisador e que deverá ser analisado através de categorias que emerjam do próprio discurso e que o esgotem em todos os significados possíveis, tanto em relação ao que foi dito como ao "não-dito". Várias técnicas têm sido utilizadas para se chegar às categorias fundamentais de um discurso, desde a AAD de Pecheux até às menos estruturadas que combinam o dito e o não-dito, ou aquelas que analisam as relações de subordinação, complementaridade etc., seja gramatical ou implicitamente presentes no discurso. O importante é o caráter a *posteriori* das categorias que permite elaborar uma "síntese precária" que direciona análises mais amplas e profundas. Com este procedimento o *Problema* é antes um ponto de partida do que de chegada, podendo ser reformulado a cada nível de análise, no confronto com a ação do indivíduo e com as condições que cercam a produção do discurso. Também como decorrência deste procedimento, o problema referente à amostragem assume outra característica, pois não se procura a generalização, mas sim a especificidade dentro de uma totalidade e, portanto, os indivíduos estudados são escolhidos em função de aspectos ou condições consideradas significativas e que muitas vezes não podem ser pré-definidas, mas que emergem da própria análise que vem sendo feita.

Deste modo o pesquisar é também uma "práxis"; se parte do empírico, se analisa, se "teoriza", se volta ao empírico e assim por diante, se aprofundando gradativamente para se captar o processo no qual o empírico se insere. Chegar ao concreto, à totalidade é uma produção coletiva onde as lacunas apontadas pelas "sínteses precárias" são tão fundamentais quanto os conhecimentos desenvolvidos.

Outro aspecto de vital importância é a relação pesquisador pesquisado, que neste processo deve ser considerada como uma relação inerente ao fato estudado, sendo que o pesquisador é também objeto de estudo e análise tanto por ele próprio como pelo pesquisado. Nesta perspectiva não é possível dissociá-lo pois ele também é parte material da realidade em estudo, e quando a sua atuação, a sua presença é analisada não o é em termos de evitar "vieses" ou de se atingir uma objetividade, mas sim de captar a não-neutralidade como manifestação de um processo que se está procurando compreender em toda a sua extensão. Por outro lado, a pesquisa em psicologia social, lidando com seres humanos, deverá ter sempre presente que o *papel* institucionalizado de pesquisador em nossa sociedade traz consigo o caráter de dominação e como tal reproduz a ideologia dominante; se não quisermos elaborar conhecimentos contaminados ideologicamente, este fato deve merecer uma atenção fundamental no planejamento de procedimentos, registros e análise do fato pesquisado.

Conhecer ideologia e/ou nível de consciência implica também o estudo das relações grupais que se processam desde a reprodução cristalizada de papéis e, como tal, da ideologia dominante, até o questionamento das relações de dominação e das contradições por elas geradas. Neste nível é necessária a análise das atividades desenvolvidas pelo grupo, assim como o discurso produzido pelos seus membros. O confronto entre o nível do discurso e o nível da ação é essencial para se compreender o indivíduo, seja enquanto reprodutor de ideologia como para análise de seu nível de consciência. Neste momento a observação participante é fundamental e nossa experiência tem demonstrado que por menor que seja a participação aparente do pesquisador, ela ocorre com características decisivas que não podem ser desconsideradas no fato em estudo.

Concluindo podemos ressaltar alguns pontos-chave para uma nova metodologia de pesquisa em psicologia social:

1) as definições e conceitos aprioristicos são dispensáveis, quando não, restritivos para a atividade de pesquisar;

2) por outro lado, categorias que nos remetem aos vários níveis de análise permitem chegar à materialidade do fato, ao concreto que está sob o empírico aparente;

3) a pesquisa como "práxis" implica, necessariamente *intervenção* e *acumulação* de conhecimentos;

4) as *lacunas* no conhecimento são tão importantes quanto o conhecido, se não mais, pois são elas que permitirão aprofundar e rever as análises já realizadas.

Bibliografia

Lane, S. T. M., *O que é psicologia social?*, São Paulo: Brasiliense, 1981.
Texier, Jacques, *Gramsci. Teórico de las superestruturas*, México: Ediciones de Cultura Popular. 1975.
"Uma Redefinição da Psicologia Social", in *Educação e sociedade*, nº 6, São Paulo, Cortez, jun. 1980.
Codo, W., *A transformação do comportamento em mercadoria* (tese doutorado).
Leontiev, A. N., *Actividad, consciencia y personalidad*, Buenos Aires: Ed. Ciencias del Hombre, 1978.

O fazer e a consciência

Wanderley Codo

Lehninger, em seu tratado de bioquímica, diferencia a matéria viva da matéria não-viva entre outras características pelo fato de o organismo extrair e transformar a energia do seu meio ambiente em "uma relação funcional", ou seja, a energia é retirada do meio para construir e manter a própria estrutura do organismo vivo. Tomando suas palavras, "os organismos vivos são sistemas abertos, pois trocam tanto energia como matéria com seu meio ambiente e, ao fazerem isso, transformam ambos".

A estruturação de um organismo vivo através da transformação de energia da matéria inanimada se dá necessariamente por uma relação entre ambos que se define com base na reciprocidade (dupla relação) que envolve a transformação da natureza à imagem e semelhança do organismo e, condição *sine qua non*, o avesso; ou seja, a transformação do organismo à imagem e semelhança da natureza que o abriga.

Em *outras palavras*, ocorre uma relação de dupla apropriação, a existência mesma do organismo vivo implica apropriação da natureza que exige, condiciona a apropriação do organismo, pela natureza. Assim, uma ameba, ao estender seus pseudópodes e se apropriar de uma partícula que a alimentará, tem de conformar-se à estrutura da partícula para conformá-la a si mesma; de certa maneira, a ameba é o seu alimento ao representar sua apropriação.

Em um organismo mais complexo, as relações tendem a ficar mais claras. Um rato, ao se alimentar de um queijo, o "ratifica" (com ou sem aspas), ou seja, ratificar, tornar o queijo, queijo e "ratificar", tornar o queijo rato. No primeiro sentido porque o queijo também é, além de seu significado físico (moléculas estruturadas de uma determinada forma), o alimento energizador do comportamento do rato. No segundo sentido, o rato ratifica o queijo ao transformar o queijo em si mesmo.

Pelo avesso, o rato se "queijifica" no sentido físico do termo, compõe-se do queijo transformado, do sentido biológico do termo, sua saliva, seu estômago e intestino se estruturam a partir do alimento que devem digerir, e também no sentido psicológico, sua percepção, faro, olhos e ouvidos aprendem; graças ao queijo a distingui-lo do não-queijo, na natureza.

A sobrevivência de um organismo depende em última instância da capacidade física, biológica e psicológica de transformar o meio à sua imagem e semelhança e, portanto, de autotransformar-se à imagem e semelhança do meio.

Estamos, portanto, no plano da história natural, e evidentemente, as ciências se dividem enquanto recortam esta ou aquela face deste mesmo fenômeno básico.

Assim, a genética toma para si a compreensão da transformação da espécie pelo meio durante as gerações, a biologia celular estuda as múltiplas relações entre célula e meio externo.

A Psicologia enquanto nos interessa mais de perto se preocupa com os mecanismos de sobrevivência do organismo em termos de percepção, aprendizagem, motivação, etc.[1]

Em outras palavras, conhecendo exatamente *como* um animal sobrevive, muito saberemos sobre como se comportará (aí está a etologia que não nos deixa mentir).

Mesmo no limite da Psicologia animal já se recupera a especificidade desta ciência em relação às suas primas. No plano bioquímico, ou genético, em quase todo o universo da biologia o cientista tem a "benesse" de poder lidar com um fenômeno *discreto*, enquanto que na psicologia nos deparamos com a dificuldade de se tratar de um fenômeno contínuo. Assim, apesar de conhecer o movimento entre a célula e o seu meio, é possível estudá-la como unidade rela-

---

1. É óbvio que um animal não apenas come, também foge, procria etc; em cada uma das atividades a relação é a mesma, utilizamos apenas a alimentação neste contexto, somente como um exemplo.

tivamente discreta, ou seja, tendo claros os limites que distinguem a célula da não-célula. No caso da psicologia, o *objeto mesmo de estudo é a relação organismo-meio*, o exercício da psicologia não consiste em considerar como variáveis intervenientes o meio ambiente concreto e buscar através da introspecção a consciência humana em sua dimensão "pura".

Como já tentaram alguns cientistas, nem consideram o indivíduo como uma *tabula rasa* na qual o meio escreve sua história, como também já se disse, o objeto da psicologia consiste em estudar a atividade do organismo.

Ou, como diz Leontiev, já se referindo a seres humanos: "... na própria organização corporal dos indivíduos está contida a necessidade de entrar em uma relação ativa com o mundo exterior; para existir devem atuar... ao influir sobre o mundo exterior o modificam, com isso se modificam também a si mesmos. Por isso, o que os homens são está determinado por sua atividade, à qual está condicionada pelo nível já alcançado no desenvolvimento de seus meios e formas de organização".

Tomemos então o homem, e vejamos como se dá esta dupla relação organismo-meio. Ocorre no homem o mesmo fenômeno que ocorre com os animais?

Sim e não, ao mesmo tempo, é a resposta.

Sim, porque o Homem também tem sua história natural, também é o bife que fareja e deglute (ou pretende) no almoço.

Não, porque acopla-se a esta já complexa relação, a natureza essencialmente social do Homem.

O que significa isto?

O Homem produz sua própria existência, portanto produz a si mesmo, para tanto se relaciona com os outros, portanto produz e é produzido pelo outro. Portanto, a dupla relação apontada atrás entre organismo e meio se dá mediada pela dupla relação consigo mesmo.

Ao comer um tomate, por exemplo, o homem entra em relação de dupla apropriação com todo o planeta e com toda a história da Humanidade literalmente.

Declinemos a afirmação acima, pois ela nos interessa particularmente.

O homem não encontra o tomate pronto na natureza, tem de plantá-lo. Até aqui nada de novo, pois a aranha produz sua teia; a diferença é que o ser humano não sabe plantar antes de nascer, precisa aprender. Enquanto a aranha para construir a teia tem uma tarefa pela frente, o homem tem um problema que depende de uma técnica e de um projeto. Ora, a aprendizagem da técnica e o projeto pressupõem o outro. Em outras palavras, a técnica pressupõe uma divisão de trabalho tanto longitudinal quanto transversal.

Transversalmente, o homem se divide para produzir, por exemplo uns espantam a caça, enquanto outros a matam. Longitudinalmente, cada geração aperfeiçoa parte da técnica que o homem aprende num dado momento. Foi assim da roca de fiar, passando pela *mule-jenny*,* até as fiadoras modernas.

No cerne desta questão está o problema da divisão de trabalho. E é esta divisão de trabalho que permeia a linguagem, os instrumentos, o pensamento, a consciência.

Passemos em revista a atividade produtiva do homem, procuraremos demonstrar como o uso da atividade enquanto categoria central da psicologia pode ser revelador.

Tomar o fruto da terra, levá-lo à boca, deglutir. Como já vimos, a "mera" atividade de apropriação é prenhe de uma relação dialética homem-natureza: 1) o fruto se transforma (se conforma) à imagem e semelhança do homem; e, 2) ao mesmo tempo o homem se transforma (se conforma) à imagem e semelhança do fruto de que se apropriou.

Em 1) o fruto se torna o homem no sentido físico (moléculas que se incorporam e passam a compor nosso corpo), biológico (energia que se transforma pelas e para as células do homem) e psicológico (o fruto passa a significar um fruto para o homem, se incorpora a ele um significado humano).

Em 2) o homem se torna o fruto pelas mesmas razões físicas e biológicas, do ponto de vista psicológico, o fruto ensina o homem a distingui-lo do não-fruto, nossas sensações, através da visão, porém, são estruturadas pelo fruto.

Além das sensações, a apropriação da natureza produz a ação do homem, estabelece relações de contingência entre os comportamentos, dispõe o reforçamento, dispõe sobre o gesto do braço, mãos, boca e, sobretudo, o fruto fornece um significado ao gesto,

---

* Uma das primeiras máquinas de fiar.

incorpora a ele um *telos*. uma finalidade. Sensações, ação e também percepção. A natureza apropriada liga o olho à boca, ao nariz. Plantar a semente, zelar pela planta, colher o fruto.

Aqui permanece a mesma relação dialética (não custa repeti-la, o homem é transformado pela natureza enquanto se transforma à imagem e semelhança da natureza) mas em um nível qualitativamente superior.[2]

Ao plantar o homem modifica para si o meio externo, já não se pode falar de natureza no sentido de contraposição ao Humano, o mundo ao redor toma a face do Homem, é colocado a seu serviço, submetido às suas necessidades, portanto à sua vontade. Neste sentido a dupla relação Homem-Natureza, apontada acima, ganha um elo novo, o homem transforma a natureza que o transforma.

Mas plantar pressupõe também o fruto presente-ausente, ou seja, o projeto do fruto, é preciso que o fruto esteja presente na consciência do Homem, embora ausente da natureza. O fruto, pelo Homem, se torna transcendente, se eterniza na atividade do plantio.

O uso de instrumentos de trabalho

O que é o instrumento de trabalho? Marx nos diz: "O meio de trabalho é uma coisa ou um conjunto de coisas que o homem interpõe entre ele e o objeto do seu trabalho, como condutor da sua ação".

Portanto, o instrumento tem um caráter mediador na medida em que funciona concretamente como extensão do homem, ampliando ou precisando seus gestos o eterniza. Um machado, por exemplo, é o ato do homem objetivado, perene, imortalizado, em uma palavra, transcendente ao próprio Homem. Neste sentido o instrumento de trabalho é um mediador entre o Homem e a sua transcendência, em outras palavras a sua história.

Um outro caráter mediador se ampara no fato de que, embora filho legítimo da ação, o instrumento de trabalho pressupõe a ação *não* realizada, ou seja, um projeto. Assim, o instrumento transforma através do trabalho a reflexão em ação materializada e como se viu,

---

2. A análise do plantar pressupõe o uso de instrumentos e concomitantemente da linguagem; aqui, por Questões didáticas, apenas vamos separar os processos.

transcendente. Os meios de trabalho exercem a mediação entre a reflexão e a história.

Fabricado pelo Homem como mediador entre ele e a natureza (meio de trabalho), o instrumento se amolda ao seu criador. É a natureza hominizada e meio de hominização da natureza ao mesmo tempo.

Criado pelo Homem à sua imagem e semelhança, o eterniza, transforma a atividade individual em história, a criação cria o criador.

Ação e meio de ação sintetizadas e eternizadas, a criação se liberta do criador, o machado que eu fiz, ao mesmo tempo que imortaliza meu gesto, recria o gesto do outro à minha imagem e semelhança, o machado reapresenta ao Homem individual a história da Humanidade, conforma e insere o indivíduo à sua própria espécie; ao contrário, o instrumento viabiliza a intervenção do Homem em toda a sua história, pela via da atividade, o machado aperfeiçoado pelo meu sucessor transforma o homem individual em ser genérico, a evolução do seu gesto traz em si a revolução da Humanidade. Através do instrumento de trabalho o homem transforma a história dos homens e é transformado por ela.

O instrumento é produtor e produto da abstração. O conceito duro (ou mole) não emana diretamente da natureza, como pode haver na consciência humana algo que não se encontra no mundo?

O conceito de duro é reflexo de uma interação entre dois objetos de densidades diferentes. Ao bater com o machado em uma árvore o homem interage com os dois elementos em questão e, principalmente com a relação entre eles, a mediação do gesto realizado pelo instrumento informa uma dimensão do real d'antes insuspeita, arma o homem com a possibilidade de interpretação do mundo.

Isto é verdade para qualquer abstração, qualquer pensamento. Ocorre que, amiúde, o instrumento de intervenção do homem no universo é a própria palavra que reorganiza relações dos homens entre si, funcionando prioritariamente como um instrumento de intervenção no outro ou do outro em mim.[3]

Embora filho legítimo da ação, a construção do instrumento de trabalho pressupõe a ação *não* realizada, ou seja, um produto de

---

3. Não se fará aqui uma análise da linguagem, apenas se ressalta o seu papel como instrumento.

ação, o instrumento de trabalho engendra a reflexão e a materializa. Em outras palavras, o uso de meios de trabalho realiza a volta completa, promove a consciência do qual é produto, produz a consciência que promove. Em suma, o instrumento de trabalho transforma o homem de animal em ser transcendente: através da ação mediatizada o homem transcende a si mesmo, em direção ao seu projeto, portanto em relação ao outro, portanto em direção à história.

O homem e o outro

Evidentemente o trabalho enquanto modo de produção de sua própria existência exigiu do homem a convivência em grupos, o desenvolvimento da linguagem e a divisão de trabalho. Os processos grupais e a linguagem estão formulados em outros momentos deste livro. Posso então me poupar desta análise e abordar alguns aspectos da divisão de trabalho que considero relevantes para a análise em questão.

A divisão de trabalho une e separa (une porque separa, separa porque une) os homens ao mesmo tempo. Se a caça é grande e perigosa o suficiente para que o homem não possa abatê-la sozinho e se organizam grupos encarregados de abatê-la e outros encarregados de espantá-la, esta divisão de trabalho tende, por uma questão de competência, a se cristalizar, o que implica que percepções, abstrações e também consciências diferentes da realidade se estabeleçam em homens diferentes, por outro lado é igualmente obrigatório que os mesmos homens "separados" pelas atividades diferenciadas se unam em um plano superior, que é o plano do projeto e dos objetivos da atividade em pauta. Assim, é preciso que os homens estejam ligados entre si pelo produto do seu trabalho (atividade objetiva) para que possam sobreviver. A caça não seria abatida se cada homem não cedesse a seus instintos imediatos e comungasse do projeto do grupo.

Como se verá adiante, esta dialética união-separação é fundamental para o processo de conscientização, assim como a relação homem-homem, homem-natureza que analisaremos a seguir.

Já repetimos *ad nauseam* que é a relação prática do homem com a natureza, sua atividade que o constitui. No trabalho produtivo este caráter de determinação da prática aparece de forma cristalina; é a caça que instrui ao caçador a força do golpe.

Ao mesmo tempo que a atividade eminentemente prática empurra o homem para o contato *vis-à-vis* a natureza, seu modo de ser social e histórico, portanto transcendente, o obriga a uma relação com o outro que implica "afastamento" (ressalte-se as aspas) com a natureza. Vejamos.

A construção de instrumentos imbricada com a linguagem permite que o engenho, a criatividade, a competência de um trabalhador em particular transcenda a si mesmo e passe a pertencer a toda a humanidade. A rigor, basta que um homem em uma tribo primitiva invente o arco e a flecha para que esta atividade objetivada no produto de sua arte passe a pertencer a toda a coletividade, imprimindo sua existência no existir do outro, que por sua vez o reformula, até atingirmos todos nós o estágio da bazuca, por exemplo.

Percorrendo caminho inverso: o ato de um homem particular com um machado particular ao bater em uma árvore é permeado de toda a história da humanidade até então. Aqui a dupla apropriação homem-meio (transformar e ser transformado pela natureza) se funde e tem como requisito a dupla apropriação homem-homem (transformar e ser transformado pelo outro).

O machado é uma via de consciência do mundo e do social porque é o homem genérico, toda a história, toda a sociedade representada, quanto mais técnica se aperfeiçoa mais o meio ambiente natural do homem se torna humano. Hoje encontramos operários lidando com máquinas feitas por máquinas, *per omnia,* produzindo a vida de pessoas através da eletricidade que não sabemos ao certo em qual momento histórico foi produzida pela primeira vez.

Assim se promove um "afastamento" aparente que se concretiza por um poder cada vez maior sobre a natureza pela via social, vale dizer, histórica.

A minha atividade mediada pela atividade do outro pela via da linguagem e do instrumento de trabalho é exatamente o que permite que a atividade se reapresente a um sujeito particular em um "reflexo da realidade concreta destacado das relações que existem entre ela e o sujeito, ou seja, um reflexo que distingue sujeito, ou seja, um reflexo que distingue as propriedades objetivas estáveis da Realidade".

Estamos falando do fenômeno da consciência humana.

Marx nos revela que a linguagem é a consciência prática. Ou seja, é a atividade dos homens representada a um sujeito individual, portanto passível de ser reproduzida na ausência do mundo objetivo imediato ao mesmo tempo que permanece fiel a ele.

Vimos que a atividade produtiva humana, pela via do desenvolvimento imbricado da linguagem dos instrumentos de trabalho e da divisão de trabalho produz a consciência através da dialética homem/natureza, homem/homem que se expressa por uma tensão perene entre o indivíduo como sujeito individual e coletivo do seu próprio destino, contradição esta que só poderá evoluir pela apropriação coletiva do destino individual.

Talvez um exemplo possa deixar as coisas mais claras. Tomemos um operário que ingressa hoje em uma fábrica: encontra ali, já construído, um modo de produção coletivizado altamente evoluído que o insere em toda a história da humanidade, cada produto realizado, cada gesto reapropria e transforma o mundo e os homens. Ao apertar um botão que aciona uma máquina, nosso operário é invadido pela história e torna-se seu portador, se insere em sua classe e na luta de sua classe na medida em que se organiza coletivamente.

Ao mesmo tempo encontra o produto do trabalho rompido, divorciado do produtor. O produto do seu trabalho se lhe apresenta como ser estranho, independente do produtor, nos diz Marx, o trabalho é alienado, por isto dividido entre trabalho intelectual e trabalho braçal, ou seja, o gesto é expropriado da criação. O trabalho coletivizado e as relações de trabalho competitivas, o irmão do qual o trabalho depende e pelo qual o produto se cria reapresentado como inimigo.

O operário viverá entre estes dois fogos o tempo todo, a apropriação de si pelo mundo e a reapropriação do mundo. O momento da greve, por exemplo, ao promover a ruptura da produção alienada (mesmo que parcialmente) rompe também com o isolamento de um indivíduo para com o outro. A não-produção produz um produtor ativo, de si, do outro, do mundo. Pela luta, via ação, recompondo, recriando a atividade até o momento em que pelo outro o homem reencontra a si mesmo, até que o existir coletivo reencontre o sujeito individual.

Bibliografia

Lehninger, A. L., *Bioquímica*, trad. da 2ª ed. americana, São Paulo: Edgard Blucher, 1976.

Leontiev, A. N., *Actividad, consciencia y personalidad*, Buenos Aires: Ed. Ciencias del Hombre, 1978.

_____, *O desenvolvimento do psiquismo*, Lisboa: Livros Horizonte Ltda, 1978.

Marx, K., *El capital*, Fondo de Cultura Económica, 3 vols., 4ª ed., México - Buenos Aires, 1966.

Marx, K. e Engels, F., *Dialética da natureza, in Obras Escogidas*. Ed. Progreso Moscú, 3 vols., URSS, 1978.

_____, *Manuscritos económicos e filosóficos, in Obras Escogidas. idem, ibidem.*

_____, *A ideologia alemã, in Obras Escogidas, idem, ibidem.*

_____, *Contribuição à crítica da economia política, in Obras Escogidas, idem, ibidem.*

Identidade

Antonio da Costa Ciampa

Uma pergunta aparentemente simples

Quem é você? É uma pergunta que frequentemente nos fazem e que às vezes fazemos a nós mesmos... "Quem sou eu?" Quando esta pergunta surge podemos dizer que estamos pesquisando nossa identidade. Como em qualquer pesquisa, estamos em busca de respostas, de conhecimento. Por se tratar de uma pergunta feita a nosso respeito é fácil darmos uma resposta; ou não é? Se é um conhecimento que buscamos a respeito de nós mesmos podemos supor que estamos em condições de fornecê-lo. Afinal se trata de dizer quem somos... Experimente!
Não continue lendo antes de responder a esta pergunta: quem é você?
Pronto?
Respondeu de forma a qualquer pessoa depois de ouvir sua resposta, poder afirmar que o conhece? Sua resposta torna possível você se mostrar ao outro (e, ao mesmo tempo, você se reconhecer) de forma total e transparente, de modo a não haver nenhuma dúvida, nenhum segredo a seu respeito? Sua resposta produz um conhecimento que o torna perfeitamente previsível? Ninguém (nem mesmo você), depois de conhecer essa resposta, terá dúvida sobre como você vai agir, pensar, sentir, em qualquer situação que surja?

Acredito que, se você foi sincero, estas questões todas podem ter levantado algumas dúvidas. Será tão fácil dizer quem somos? Se, como estou supondo, não é tão fácil como pode parecer à primeira vista, podemos admitir que este é um problema digno de uma pesquisa científica (e não só por causa disso). Psicólogos, sociólogos, antropólogos, os mais diversos cientistas sociais têm estudado a questão da identidade; filósofos também. Não só pela dificuldade, mas também pela importância que esta questão apresenta, outros especialistas têm se envolvido com ela e não só cientistas e filósofos: nos tribunais, juízes, promotores, advogados, peritos etc.; na administração, tanto pública como privada; na polícia, na escola, no supermercado etc., enfim, em praticamente todas as situações da vida cotidiana, a questão da identidade aparece, de uma forma ou de outra (e também fora do cotidiano: "quem era mesmo aquela personagem com quem sonhei ontem?"). Você já reparou como as novelas de TV exploram esse filão? É frequente uma personagem viver um grande drama porque de repente descobre estar enganada a respeito da identidade de outra personagem (é seu pai, sua mãe, seu filho, sua irmã etc., e não quem pensava que fosse); consequentemente, descobre ao mesmo tempo que também estava enganado a respeito da própria identidade (afinal, se esse desconhecido é meu pai, então *eu* sou seu filho e não de quem pensava); a identidade do outro reflete na minha e a minha na dele (afinal, *ele* só é meu pai porque *eu* sou filho dele). Outro exemplo: nas histórias "policiais" quase sempre o enredo é todo montado para que se descubra a identidade do criminoso (não só no sentido de saber quem cometeu o crime, mas também como se tornou "criminoso"); por vezes, a história se desenvolve de tal modo que nós (os espectadores ou leitores) sabemos quem é o criminoso, mas as demais personagens da história não sabem; isto nos levanta uma outra questão: pelo fato de os outros não saberem ele deixa de ser criminoso? Que é ser "criminoso"? É cometer um ato criminoso? (Pense no exemplo, digamos, fictício, de poderosos cidadãos que cometem atos que você considera criminosos mas não são perseguidos pela polícia e pela justiça...). Podemos falar numa identidade oculta? Pense numa história de "espionagem": a identidade do "espião" exatamente se caracteriza como uma identidade oculta (pelo menos para os espionados...), sendo que suas aventuras praticamente terminam ou deixam de atraentes quando essa identidade é revelada. Até os super-heróis têm sua identidade secreta (aquilo de que o Super-Homem tem mais medo é que descubram quem ele é na vida cotidiana... como muitos de nós que escondemos algum aspecto de nossa identidade e morremos de medo que os outros descubram esse nosso lado "oculto"...). A literatura, o cinema, a TV, as histórias em quadrinhos, as artes num sentido bem amplo também lidam com o problema da identidade e podem nos ensinar muito a respeito.

Voltemos a nosso ponto de partida. Se, como afirmamos, estamos falando de nossa identidade quando respondemos à pergunta "quem sou eu?", a primeira observação a ser feita é que nossa identidade se mostra como a descrição de uma personagem (como em uma novela de TV), cuja vida, cuja biografia aparece numa narrativa (uma história com enredo, personagens, cenários, etc.), ou seja, como personagem que surge num discurso (nossa resposta, nossa história). Ora, qualquer discurso, qualquer história costuma ter um autor, que constrói a personagem. Cabe perguntar então: você é a personagem do seu discurso, ou o autor que cria essa personagem, ao fazer o discurso?

Se você é a personagem de uma história, quem é o autor dessa história? Se nas histórias da vida real não existe o autor da história, será que não são todas as personagens que montam a história? Todos nós — eu, você, as pessoas com quem convivemos — somos as personagens de uma história que nós mesmos criamos, fazendo-nos autores e personagens ao mesmo tempo. Com esta afirmação já antecipamos o que se poderia dizer caso nos considerarmos o autor que cria nossa personagem; o autor mesmo é personagem da história. Na verdade, assim, poderíamos afirmar que há uma autoria coletiva da história; aquele que costumamos designar como "autor" seria dessa forma um "narrador", um "contador" de história!

Com isso podemos perceber outro fato curioso: não só a identidade de uma personagem constitui a de outra e vice-versa (o pai do filho e o filho do pai), como também a identidade das personagens constitui a do autor (tanto quanto a do autor constitui a das personagens).

A trama parece complicar-se, pois é sabido que muitas vezes nos escondemos naquilo que falamos; o autor se oculta por trás da personagem. Mas, da mesma forma como um autor acaba se revelando através de seus personagens, é muito frequente nos revelarmos através daquilo que ocultamos. Somos ocultação e revelação.

Até agora falamos das pessoas como se elas fossem de uma determinada forma e não se modificassem, o que é falso. Basta observarmos nossos próximos, basta nos observarmos. No mínimo, as pessoas ficam mais velhas: a criança se torna adulto; o adulto, ancião. No máximo... o que seria no máximo? "Não reconheço mais Fulano, é outra pessoa!" Há mudanças mais ou menos previsíveis, mais ou menos desejáveis, mais ou menos controláveis, mais ou menos... mudanças. O estudante que se torna um profissional depois de formado representa uma mudança bem mais previsível do que a do jovem, nosso amigo de infância, que se torna um criminoso (é lógico que, implicitamente, estamos também considerando certas condições de classe social); numa outra situação social a previsibilidade pode ser invertida, infelizmente. Outro exemplo: a mocinha que se torna dona-de-casa, mãe de filhos etc. vive uma mudança mais desejável do que a daquela que se torna prostituta (novamente há algo implícito nesse julgamento: valores etc.).

O desempregado que se torna alcoólatra (ou criminoso etc.) sofre uma mudança provavelmente menos controlável do que a do escriturário que se torna gerente (como você consideraria aqui a questão de classe, de valores etc.?). Há mudanças e mudanças... quem muda mais: o heterossexual que se torna homossexual ou o adepto de uma religião que se torna ateu? O alienado politicamente que se torna revolucionário ou o civil que se torna militar?

Nós nos tornamos algo que não éramos ou nos tornamos algo que já éramos e estava como que "embutido" dentro de nós? Parece que quando se trata de algo positivamente valorizado, a tendência nossa é afirmar que estava "embutido" em nós ("sempre tive vocação para ser médico"); quando não desejável, frequentemente estava "embutido"... nos outros ("sempre achei que ele tinha propensão para o crime", "...que ele tinha um jeito de 'bicha'"). Que dizer da jovem que se torna dona-de-casa? E do religioso que se torna ateu? O escriturário que se torna gerente está realizando uma "tendência", uma "vocação"?

Podemos imaginar as mais diversas combinações para configurar uma identidade como uma totalidade. Uma totalidade contraditória, múltipla e mutável, no entanto una. Por mais contraditório, por mais mutável que seja, sei que sou eu que sou assim, ou seja, sou uma unidade de contrários, sou uno na multiplicidade e na mudança.

Quando nossa unidade é percebida como ameaçada, quando corremos o risco de não saber quem somos, quando nos sentimos desagregando, temos maus pressentimentos, temos o pressentimento de que vamos enlouquecer; aprendemos a ter horror de sermos "outro" (quando queremos ofender alguém cantarolamos um refrão bastante conhecido: "Fulano não é mais aquele..."); não é à toa que o tipo clássico de piada de louco envolve alguém que diz que é quem não é: "Napoleão", "Jesus Cristo" etc.; nestes casos, é fácil verificar que ele não é quem diz que é. Porém, será sempre fácil saber que alguém é (ou não é) quem diz que é? Num certo sentido, pode-se considerar a chamada "doença mental" como um problema de identidade: o "louco" é nosso "outro", tanto quanto o "curado" é o outro do "louco". Não afirma o dito popular que "de médico e de louco cada um tem um pouco"?

Desde o início estamos jogando perguntas em cima de perguntas, provocativamente, para uma questão que parecia tão simples. Talvez valesse a pena segurar essas dúvidas e examinar a questão de forma menos interrogativa. Vamos tentar separar dois tipos de problema: os de natureza empírica, prática, e os de natureza teórica e filosófica.

No princípio era o verbo

Quando queremos conhecer a identidade de alguém, quando nosso objetivo é saber quem alguém é, nossa dificuldade consiste apenas em obter as informações necessárias. O pai que deseja saber quem são os amigos que andam com seu filho, a mãe que procura conhecer o namorado da filha, o empregador que seleciona um candidato para trabalhar, o comerciante (lojista ou banqueiro) que procura se assegurar da credibilidade de um cliente a quem vai fazer um empréstimo, todos eles procuram "tomar informações" através dos mais variados meios e formas; a natureza das informações pode variar, mas todas têm em comum o fato de permitirem um conhecimento da identidade da pessoa a respeito de quem as informações são tomadas.

Assim, obter as informações necessárias é uma questão prática: quais as informações significativas, quais as fontes confiáveis (quem dá as "referências"), de que forma obter as informações, como interpretar e analisar essas informações etc. Enfim, o mesmo procedimento que um cientista adota ao fazer uma pesquisa empírica (talvez sem a sofisticação habitual numa pesquisa científica...).

Aqui, não problematizamos o resultado obtido; não complicamos a questão; supomos que as informações nos revelam a realidade.

Essa crença é a mesma que guia nossas ações mais corriqueiras da vida cotidiana. Nossos rituais sociais escondem a dificuldade implícita nessa maneira de pensar e de agir; é fácil imaginar como se tornaria difícil conviver com outras pessoas se não houvesse a suposição compartilhada por todos nós de que, normalmente, um indivíduo é a pessoa que diz que é (e que os outros dizem que é). Pense numa apresentação social: um amigo chega com um desconhecido e diz: "Este é Fulano, meu colega" e, após você o cumprimentar, o novo conhecido diz: "Muito prazer, sou Fulano" ou então "Sou Fulano, a seu dispor" etc.

Se as informações são verdadeiras, então a realidade está conhecida (pelo menos agimos como se estivesse: depois de uma apresentação, dizemos que o apresentado é nosso "conhecido"...).

Como são fornecidas essas informações?

A forma mais simples, habitual e inicial é fornecer um nome, um substantivo; se olharmos o dicionário, veremos que substantivo é a palavra que designa o ser, que nomeia o ser. Nós nos identificamos com nosso nome, que nos identifica num conjunto de outros seres, que indica nossa singularidade: nosso nome próprio. Falamos "chamo-me Fulano", sem prestar muita atenção ao fato de que, antes que eu "me chamasse Fulano", eu "era chamado Fulano", ou seja, nós nos chamamos da forma como os outros nos chamam. Nós nos "tornamos" nosso nome: pense em você mesmo com outro nome (não como outra pessoa, mas você mesmo com outro nome); há um sentimento de estranheza, parece que não "encaixa". Geralmente as pessoas se sentem ofendidas quando, por qualquer motivo, trocamos seu nome; é sinal de amizade e respeito não esquecer nem confundir o nome das pessoas que prezamos.

A não ser em casos excepcionais, o primeiro grupo social do qual fazemos parte é a família, exatamente quem nos dá nosso nome. Nosso primeiro nome (prenome) nos diferencia de nossos familiares, enquanto o último (sobrenome) nos iguala a eles.

Diferença e igualdade. Ê uma primeira noção de identidade.

Sucessivamente, vamos nos diferenciando e nos igualando conforme os vários grupos sociais de que fazemos parte: brasileiro, igual a outros brasileiros, diferente dos estrangeiros ("nós os brasileiros somos.., enquanto os estrangeiros são..."); homem ou mulher ("os homens são... enquanto as mulheres são..."). Os exemplos podem se multiplicar indefinidamente ("os corintianos são... enquanto os torcedores dos outros clubes são...").

O conhecimento de si é dado pelo reconhecimento recíproco dos indivíduos identificados através de um determinado grupo social que existe objetivamente, com sua história, suas tradições, suas normas, seus interesses etc.

(Um grupo pode existir objetivamente, por exemplo, uma classe social, mas seus componentes podem não se identificar como seus membros, e nem se reconhecerem reciprocamente. É fácil, parece, perceber as consequências de tal fato, seja para o indivíduo, seja para o grupo social.)

Mas se é verdade que minha identidade é constituída pelos diversos grupos de que faço parte, esta constatação pode nos levar a um erro, qual seja o de pensar que os substantivos com os quais nos descrevemos ("sou brasileiro", "sou homem" etc.) expressam ou indicam uma substância ("brasilidade", "masculinidade" etc.) que nos tornaria um sujeito imutável, idêntico a si-mesmo, manifestação daquela substância.

Para compreendermos melhor a ideia de ser a identidade constituída pelos grupos de que fazemos parte, faz-se necessário refletirmos como um grupo existe objetivamente: através das relações que estabelecem seus membros entre si e com o meio onde vivem, isto é, pela sua prática, pelo seu agir (num sentido amplo, podemos dizer pelo seu trabalho); agir, trabalhar, fazer, pensar, sentir etc., já não mais substantivo, mas verbo. Usamos tanto o substantivo que esquecemos do fato original do agir: Eva *comeu* a maçã; Prometeu *roubou* o fogo dos céus; Oxalá com seu cajado *separou* o mundo dos homens do mundo dos deuses. Como devemos dizer: o pecador peca, o desobediente desobedece, o trabalhador trabalha? Ao dizer assim, estamos pressupondo antes da ação, do fazer, uma identidade de pecador, de desobediente, de trabalhador etc.; contudo é pelo agir, pelo fazer, que alguém se torna algo: ao pecar, pecador; ao desobedecer, desobediente; ao trabalhar, trabalhador.

Estamos constatando talvez uma obviedade: nós somos nossas ações, nós nos fazemos pela prática (a não ser por gozação, você chamaria "trabalhador" alguém que não trabalhasse?).

É essa obviedade que nos coloca frente a um complicadíssimo problema teórico.

Até aqui estávamos tratando a identidade como um "dado" a ser pesquisado, como um produto preexistente a ser conhecido, deixando de lado a questão fundamental de saber como se dá esse dado, como se produz esse produto. A resposta à pergunta "quem sou eu?" é uma representação da identidade. Então, torna-se necessário partir da representação, como um produto, para analisar o próprio processo de produção.

Uma questão complicada

O que é identidade?

Já vimos que nos satisfazer com a concepção de que se trata da resposta dada à pergunta "quem sou eu?" é pouco, é insatisfatório.

Ela capta o aspecto representacional da noção de identidade (enquanto produto), mas deixa de lado seus aspectos constitutivo, de produção, bem como as implicações recíprocas destes dois aspectos.

Mesmo assim, nosso ponto de partida poderá ser a própria representação, considerando-a também como processo de produção, de tal forma que a identidade passe a ser entendida como o próprio processo de identificação.

Dizer que a identidade de uma pessoa é um fenômeno social e não natural é aceitável pela grande maioria dos cientistas sociais.

Exatamente isso nos permitirá caminhar. Com efeito, se estabelecermos uma distinção entre o objeto de nossa representação e a sua representação, veremos que ambos se apresentam como fenômenos sociais, consequentemente como objetos sem características de permanência, não sendo independentes um do outro.

Não podemos isolar de um lado todo um conjunto de elementos — biológicos, psicológicos, sociais etc. — que podem caracterizar um indivíduo, identificando-o, e de outro lado a representação desse indivíduo como uma duplicação mental ou simbólica, que expressaria a sua identidade. Isso porque há como que uma interpenetração desses dois aspectos, de tal forma que a individualidade dada já pressupõe um processo anterior de representação que faz parte da constituição do indivíduo representado. Por exemplo, antes de nascer, o nascituro já é representado como filho de alguém e essa representação prévia o constitui efetivamente, objetivamente, como "filho", membro de uma determinada família; posteriormente, essa representação é assimilada pelo indivíduo de tal forma que seu pro-

cesso interno de representação é incorporado na sua objetividade social como filho daquela família.
É verdade que não basta a representação prévia. O nascituro, uma vez nascido, constituir-se-á como filho na medida em que as relações nas quais esteja envolvido concretamente confirmem essa representação através de comportamentos que reforcem sua conduta como filho e assim por diante. Temos de considerar também esse aspecto operativo (e não só o representacional).

Contudo, é na medida em que é pressuposta a identificação da criança como filho (e dos adultos em questão como pais) que os comportamentos vão ocorrer, caracterizando a relação paterno-filial.

Desta forma, a identidade do filho, se de um lado é consequência das relações que se dão, de outro — com anterioridade — é uma condição dessas relações. Ou seja, é pressuposta uma identidade que é reposta a cada momento, sob pena de esses objetos sociais "filho", "pais", "família", etc., deixarem de existir objetivamente (ainda que possam sobreviver seus organismos físicos, meros suportes que encarnam a objetividade do social).

Isto introduz uma complexidade que deve ser considerada aqui. Uma vez que a identidade pressuposta é reposta, ela é vista como *dada* — e não como *se dando* num contínuo processo de identificação. É como se uma vez identificada a pessoa, a produção de sua identidade se esgotasse com o produto. Na linguagem corrente dizemos "eu sou filho"; dificilmente alguém dirá "estou sendo filho".

Daí a expectativa generalizada de que alguém deve agir de acordo com o que é (e consequentemente ser tratado como tal). De certa forma, reatualizamos através de rituais sociais uma identidade pressuposta que assim é reposta como algo já dado, retirando em consequência o seu caráter de historicidade, aproximando-a mais da noção de um mito que prescreve as condutas corretas, reproduzindo o social.

O caráter temporal da identidade fica restrito a um momento originário, quando nos "tornamos" algo; por exemplo, "sou professor" (= "tornei-me professor") e desde que essa identificação existe me é dada uma identidade de "professor" como uma posição (assim como "filho" também). Eu como ser social sou um ser-posto.

A posição de mim (o eu ser-posto) me identifica, discriminando-me como dotado de certos atributos que me dão uma identidade considerada *formalmente* como atemporal. A reposição da identidade deixa de ser vista como uma sucessão temporal, passando a ser vista como simples manifestação de um ser idêntico a si-mesmo na sua permanência e estabilidade.

A mesmice de mim é pressuposta como dada permanentemente e não como reposição de uma identidade que uma vez foi posta.

Vejamos um exemplo: quando alguém é identificado como "pai"? Pode-se responder que é quando nasce uma criança gerada por esse indivíduo; esse fato, contudo, assim considerado ainda é um fato físico, e ser "pai" é um fato social.

A paternidade torna-se um fenômeno social quando aquele evento físico é classificado como tal, por ser considerado equivalente a outras paternidades prévias. O pai se identifica (e é identificado) como tal por se encontrar na situação equivalente de outros pais (afinal, ele também é filho de um pai). Se ele *é* pai e a mesmice de si está assegurada, sua identidade de pai está constituída permanentemente; de fato, ele se "tornou" pai e assim permanecerá enquanto reconhecer e for reconhecida essa identidade, ou seja, enquanto ela estiver sendo reposta cotidianamente. Ora, mas ao mesmo tempo ele também é filho; esse "outro" que ele é, é negado na sua posição como pai, pois se ele permanecesse como filho, a posição de seu filho estaria ameaçada, já que a diferença não se estabeleceria.

Dessa forma, cada posição minha me determina, fazendo com que minha existência concreta seja a unidade da multiplicidade, que se realiza pelo desenvolvimento dessas determinações.

Em cada momento de minha existência, embora eu seja uma totalidade, manifesta-se uma parte de mim como desdobramento das múltiplas determinações a que estou sujeito. Quando estou frente a meu filho, relaciono-me como pai; com meu pai, como filho; e assim por diante. Contudo, meu filho não me vê apenas como pai, nem meu pai apenas me vê como filho; nem eu compareço frente aos outros apenas como portador de um único papel, mas sim como o *representante* de mim, com todas minhas determinações que me tornam um indivíduo concreto. Desta forma, estabelece-se uma intrincada rede de representações que permeia todas as relações, onde cada identidade reflete outra identidade, desaparecendo qualquer possibilidade de se estabelecer um fundamento originário para cada uma delas.

Este jogo de reflexões múltiplas que estrutura as relações sociais é mantida pela atividade dos individuas, de tal forma que é lícito dizer-se que as identidades, no seu conjunto, refletem a estrutura social ao mesmo tempo que reagem sobre ela conservando-a ou a transformando.

As atividades de indivíduos identificados são normatizadas tendo em vista manter a estrutura social, vale dizer, conservar as identidades produzidas, paralisando o processo de identificação pela reposição de identidades pressupostas, que um dia foram postas. Assim, a identidade que se constitui no produto de um permanente processo de identificação aparece como um *dado* e não como um *dar-se* constante que expressa o movimento do social.

Para prosseguirmos, há necessidade de uma rápida digressão sobre o movimento do social: ele é, em última análise, a história.

A história é a progressiva e continua hominização do Homem, a partir do momento que este, diferenciando-se do animal, produz suas condições de existência, produzindo-se a si mesmo consequentemente.

A história, então, como a entendemos, é a história da autoprodução humana, o que faz do Homem um ser de possibilidades, que compõem sua essência histórica. Diferentes momentos históricos podem favorecer ou dificultar o desenvolvimento dessas possibilidades de humanização do Homem, mas é certo que a continuidade desse desenvolvimento (concretização) constitui a substância do Homem (o concreto, que em si é possibilidade e, pela contradição interna, desenvolve-se levando as diferenças a existirem, para serem superadas); aquela só deixará de existir se não mais existir nem História nem Humanidade.

Assim, o Homem como espécie é dotado de uma substância que, embora não contida totalmente em cada indivíduo, faz deste um participante dessa substância (já que cada homem está enredado num determinado modo de apropriação da natureza no qual se configura o modo de suas relações com os demais homens).

Então, eu — como qualquer ser humano — participo de uma substância humana, que se realiza como história e como sociedade, nunca como indivíduo isolado, sempre como humanidade.

Nesse sentido, embora não toda ela, eu contenho uma infinitude de humanidade (o que me faz uma totalidade), que se realiza materialmente de forma contingente ao tempo e ao espaço (físicos e sociais), de tal modo que cada instante de minha existência como indivíduo é um momento de minha concretização (o que me torna parte daquela totalidade), em que sou negado (como totalidade), sendo determinado (como parte); assim, eu existo como negação de mim-mesmo, ao mesmo tempo que o que estou-sendo sou eu-mesmo.

Em consequência, sou o que estou-sendo (uma parcela de minha humanidade); isso me dá uma identidade que me nega naquilo que sou sem estar-sendo (a minha humanidade total). Essa identidade que surge como representação de meu estar sendo se converte num pressuposto de meu ser (como totalidade), o que, *formalmente,* transforma minha identidade concreta (entendida como um *dar-se* numa sucessão temporal) em identidade abstrata, num *dado* atemporal — sempre presente (entendida como identidade pressuposta reposta).

Isso ocorre porque compareço perante outrem como representante de mim-mesmo a partir dessa pressuposição de identidade — que se encarna como uma parte de mim-como-totalidade. Essa identidade pressuposta não é uma simples imagem mental de mim-mesmo, pois ela se configurou na relação com outrem que também me identifica como idêntico a mim-mesmo; desse modo, ao me objetificar (e ser objetificado por outrem) pelo caráter atemporal formalmente atribuído à minha identidade, o que estou sendo como parte surge como encarnação da totalidade de mim (seja para mim, seja para outrem); isso confunde o meu comparecimento frente a outrem (em como representante de mim) com a expressão da totalidade do meu ser (de mim como representado).

Isto se dá porque cada comparecimento meu frente a outrem envolve *representação* num tríplice sentido:

1) eu represento enquanto estou sendo *o representante* de mim (com uma identidade pressuposta e dada fantasmagoricamente como sempre idêntica);

2) eu represento, em consequência, enquanto *desempenho papéis* (decorrentes de minhas posições) ocultando outras partes de mim não contidas na minha identidade pressuposta e reposta (caso contrário eu não sou o representante de mim);

3) eu represento, finalmente, enquanto *reponho* no presente o que tenho sido, enquanto *reitero* a apresentação de mim — reapresentado como o que estou sendo — dado o caráter formalmente atemporal atribuído à minha identidade pressuposta que está sendo reposta, encobrindo o verdadeiro caráter substancialmente temporal de minha identidade (como uma sucessão do que estou sendo, como devir).

Ao me representar (no primeiro sentido — representante de mim), transformo-me num desigual de mim por representar (no segundo sentido — desempenho de papéis) um "outro" que sou eu mesmo (o que estou sendo parcialmente, como desdobramento de minhas múltiplas determinações. e que me determina e por isso me nega), impedindo que eu deixe de representar (no terceiro sentido — reapresentação) para expressar o outro "outro" que também sou eu (o que sou sem estar sendo) – que negaria a negação de mim indicada pelo representar no sentido anterior (o segundo).

Ora, essa expressão do outro "outro" que também sou eu consiste na "alterização" da minha identidade, na supressão de minha identidade pressuposta e no desenvolvimento de uma identidade posta como *metamorfose* constante em que toda humanidade contida em mim pudesse se concretizar pela negação *(não* representar no terceiro sentido) do que me nega (representar no segundo sentido), de forma que eu possa — como possibilidade e tendência — representar-me (no primeiro sentido) sempre como diferente de mim mesmo — a fim de estar sendo mais plenamente.

Ou seja: só posso comparecer no mundo frente a outrem efetivamente como representante do meu ser real quando ocorrer a negação da negação, entendida como deixar de presentificar uma apresentação de mim que foi cristalizada em momentos anteriores — deixar de repor uma identidade pressuposta — ser movimento, ser processo, ou, para utilizar uma palavra mais sugestiva se bem que polêmica, *ser metamorfose.*

Nem anjo, nem besta: apenas homem

A análise teórica feita até aqui inverte totalmente a noção tradicional que se tem de identidade, ou seja, "o que é, é"; "um ser é idêntico a ele mesmo": isso decorreria da necessidade para o ser de ser o que é.

Mas, o que quer dizer "o ser ser o que é"?

Vejamos um exemplo clássico: uma semente já contém em si uma pequena plantinha, a planta plenamente desenvolvida e seus frutos, de onde sairão novas sementes. Então, ser semente é ser semente, mas não só a mesma semente, como também a plantinha, a planta desenvolvida, o fruto e a nova semente, uma multiplicidade que, naturalmente, já está contida na semente e que se concretiza pela transformação em fruto, ou seja, pelo fazer-se outro para então retomar a si mesmo (outro outro). São distintos momentos cuja unidade constitui o concreto, uma unidade múltipla, como vimos, e também contraditória, pois a semente não permanece como semente para ser o que é; ela precisa ser negada, morrer: uma semente que permanecesse indefinidamente semente... não seria semente! Não germinaria, não seria negada; ela precisa deixar de ser semente para ser plenamente semente...

Então, "o ser ser o que é" implica o seu desenvolvimento concreto; a superação dialética da contradição que opõe Um e Outro fazendo devir um outro outro que é o Um que contém ambos.

E para o Homem: o que é para o ser humano ser o que é?

Voltemos a uma afirmação feita anteriormente sobre o movimento do social, o qual constitui a história: ela é a progressiva e continua hominização do Homem, a partir do momento em que este, diferenciando-se do animal, produz suas condições de existência, produzindo-se a si mesmo consequentemente.

Assim, o existir humanamente não está garantido de antemão, nem é uma mudança que se dá naturalmente, mecanicamente — exatamente porque o homem é histórico. E, afinal, a história nem é um Deus que conduz os homens a seus desígnios secretos, nem é um processo com um fim último; isto seria reduzir o homem à condição de coisa, desconhecer a infinitude humana, conceber os homens como seres que chegarão a realizar sua plenitude e nada mais pudessem vir-a-ser depois de um momento dado; seria considerar que tudo o que foram, são, serão e podem ser se esgotasse num absoluto que negasse a dialética do fenômeno humano; é verdade que um fato ocorrido é irrecorrível definitivamente, mas seus desdobramentos (assim como seus significados) são imprevisíveis e suas transformações infindáveis — o que não significa que certas alternativas não possam ser impossíveis.

Uma alternativa impossível é o homem deixar de ser social e histórico; ele não seria homem absolutamente. Outra impossibilidade é deixar de ser *também* um animal, consequentemente submetido às condições dessa sua natureza orgânica (tal como a planta à sua natureza vegetal). Contudo (e por isso foi grifada a palavra "também"), não pode ser *só* animal (dada sua natureza social e histórica).

Então, nem anjo, nem besta, o homem é homem — não como uma afirmação tautológica — mas como uma afirmação da materialidade da contínua e progressiva hominização do homem.

De um lado, portanto, o homem não está limitado no seu vir-a-ser por um fim preestabelecido (como a semente); de outro, não está liberado das condições históricas em que vive, de modo que seu vir-a-ser fosse uma indeterminação absoluta.

A primeira constatação acima — de que o vir-a-ser do homem não pode se confundir com o de uma semente — deve servir para questionar toda e qualquer concepção fatalista, mecanicista, de um destino inexorável, seja nas suas formas mais supersticiosas ("sou pobre porque Deus quer", "nasceu para ser criminoso" etc.), seja em formas mais sofisticadas de teorias pseudocientíficas (por exemplo em certas versões de teorias de personalidade).

A segunda constatação — de que o homem não está liberado de suas condições históricas — nos coloca um problema e uma tarefa.

O problema consiste em que não é possível dissociar o estudo da identidade do indivíduo do da sociedade. As possibilidades de diferentes configurações de identidade estão relacionadas com as diferentes configurações da ordem social. Foge às finalidades e aos limites deste artigo analisar sob quais condições vivemos hoje em nossa sociedade brasileira e, consequentemente, como considerar as alternativas de identidade possíveis aqui e agora. Fique claro, contudo, que uma análise geral como a que está sendo feita precisa ser traduzida para uma análise das circunstâncias concretas e específicas atuais; é do contexto histórico e social em que o homem vive que decorrem suas determinações e, consequentemente, emergem as possibilidades ou impossibilidades, os modos e as alternativas de identidade. O fato de vivermos sob o capitalismo e a complexidade crescente da sociedade moderna impedem-nos de ser verdadeiramente sujeitos. A tendência geral do capitalismo é constituir o homem como mero suporte do capital, que o determina, negando-o enquanto homem, já que se torna algo coisificado (torna-se trabalhador-mercadoria e não trabalha autonomamente; torna-se capitalista-propriedade do capital e não proprietário das coisas). Recorrendo a uma metáfora já utilizada anteriormente, o homem deixa de ser verbo para ser substantivo. Esta constatação deve ser entendida como indicação de fato que resulta historicamente ligado a um determinado modo de produção e não como algo inerente à "natureza" humana. Genericamente falando, a questão da identidade se coloca de maneira diferente em diferentes sociedades (pré-capitalistas, capitalistas, pós-capitalistas etc.); há especificidades inclusive dentro de um mesmo modo de produção, ligadas à ordem simbólica de cada sociedade; há, quase sempre, a sobrevivência de formas arcaicas de identidade etc. etc.

AS CATEGORIAS FUNDAMENTAIS DA PSICOLOGIA SOCIAL

Este problema, assim formulado, sugere um amplo programa de pesquisas empíricas que, certamente, mostrariam como pano de fundo o verdadeiro problema de identidade do homem moderno: a cisão entre o indivíduo e a sociedade, que faz com que cada indivíduo não reconheça o outro como ser humano e, consequentemente, não se reconheça a si próprio como humano. Isto está assim expresso num verso magistral de Mário de Andrade, quando fala de São Paulo:

"Ninguém chega a ser um nesta cidade."

"Chegar a ser um" ou (o que é o mesmo) "ser uma metamorfose ambulante"

Se o problema que consideramos está na relação indivíduo e sociedade, que tarefa daí decorre?

A realização de um projeto político.

A questão da identidade nos remete necessariamente a um projeto político.

Tentando explicar: chegamos até aqui partindo da pergunta: "o que é para o ser humano ser o que é?"; buscamos uma resposta considerando sua natureza social e histórica, expressa pela "contínua e progressiva hominização do homem". Com isso, procuramos esclarecer que o homem (em si humanizável), humaniza-se por si; este o devir humano.

Desta forma, o futuro se coloca como contínua e progressiva realização da humanidade; porém, como não é possível, aprioristicamente, esgotar a definição do conteúdo de ser humano, esta infindável tarefa se nos impõe de maneira inescapável. Não se trata, evidentemente, de conceitos abstratos e definitivos que considerem o homem como pura consciência, só como subjetividade (este o risco idealista); nem também de reduzi-lo à simples condição de coisa, só como objetividade (esta a armadilha materialista-mecanicista). Trata-se de considerar a superação dialética desse dualismo pela *práxis*. Trata-se de não contemplar inerte e quieto a história. Mas, de se engajar em projetos de coexistência humana que possibilitem um sentido da história como realização de um porvir a ser feito com os outros. Projetos que não se definam aprioristicamente por um modelo de sociedade e de homem, que todos deveriam sofrer totalitariamente (e identicamente), mas projetos que possam tender, convergir ou concorrer para a transformação real de nossas condições de existência, de modo que o verdadeiro sujeito humano venha à existência. Qualquer tendência, convergência ou concorrência que se arvore em Verdade, em ação, em expressão definitiva e acabada de um único projeto de transformação, absolutiza-se, tornando-se antidialética, anti-histórica, anti-humana.

A formulação de tal política, de uma política de identidade do Homem da nossa sociedade, a realização de tais projetos, para ser coerente com seus propósitos há de ser feita coletivamente e de forma democrática (entendida aqui como forma racional). A questão se coloca como uma questão prática e como tal deve ser enfrentada, conscientemente, por nós — cada um de nós, todos nós.

Acredito que, além de outros, dois fatores podem impedir esse engajamento consciente num projeto político.

O primeiro é ter uma atitude, de um lado intelectual, frente à questão da relação indivíduo e sociedade, semelhante àquela que nos leva a discutir quem nasceu primeiro, o ovo ou a galinha: o que prevalece, primeiro a sociedade ou primeiro o indivíduo? De outro lado, uma atitude prática, semelhante à do asno indeciso entre dois montes de feno, permanecendo no imobilismo: o que atacar primeiro, o indivíduo ou a sociedade?

O segundo fator é uma concepção de identidade como permanência, como estabilidade; mais que uma simples concepção abstrata, é vivermos privilegiando a permanência e a estabilidade, e patologizando a crise e a contradição, a mudança e a transformação. Assim, como que estancamos o movimento, escamoteamos a contradição, impedimos a superação dialética.

Identidade é movimento, é desenvolvimento do concreto.

Identidade é metamorfose.

É sermos o Um e um Outro, para que cheguemos a ser Um, numa infindável transformação.

Bibliografia

Fausto, R., *Marx: lógica e política*, São Paulo: Brasiliense, 1983.
Giannotti. J. A., *Trabalho e reflexão*, São Paulo: Brasiliense, 1983.

Habermas, J., *Para a reconstrução do materialismo histórico*, São Paulo: Brasiliense, 1983.
Heller. A., *A filosofia radical*, São Paulo: Brasiliense, 1983.
_____. *O quotidiano e a história*, Rio de Janeiro: Paz e Terra, 1972.
Dentro de uma preocupação mais empírica que filosófica, podem ser mencionados especificamente:
Berger. P. e Luckmann, T., *Construção social da realidade*, Petrópolis: Vozes, 1973.
Erikson, E., *Identidade, juventude e crise*, 2ª ed., Rio de Janeiro: Zahar, 1976.
Goffman, E., *A representação do eu na vida cotidiana*, Petrópolis: Vozes, 1975.
Sarbin, T. R. e Scheibe, K. E. (eds.), *Studies in Social Identity*, Nova York: Praeger Publishers, 1983.

Parte 3
O indivíduo
e as instituições

O processo grupal*

Silvia Tatiana Maurer Lane

Este trabalho é o resultado de cursos de pós-graduação onde alunos e professor se propuseram rever a noção de pequenos grupos em função de uma redefinição da psicologia social, onde o grupo não é mais considerado como dicotômico em relação ao indivíduo (Indivíduo sozinho x Indivíduo em grupo), mas sim como condição necessária para conhecer as determinações sociais que agem sobre o indivíduo, bem como a sua ação como sujeito histórico, partindo do pressuposto que toda ação transformadora da sociedade só pode ocorrer quando indivíduos se agrupam.

Assim, o nosso objetivo foi dar início a uma forma sistemática de refletir teoricamente sobre processos grupais, alternando observações e teorizações, na tentativa de definir algumas premissas básicas para o conhecimento concreto de pequenos grupos sociais.

Tradicionalmente, os estudos sobre pequenos grupos estão vinculados à teoria de K. Lewin, que os analisa em termos de espaço topológico e de sistema de forças, procurando captar a dinâmica que ocorre quando pessoas estabelecem uma interdependência seja em relação a uma tarefa proposta (sócio-grupo), seja em relação aos próprios membros em termos de atração, afeição etc. (psico-grupo).

---

* Este capítulo é uma revisão e ampliação do artigo "Uma análise dialética do processo grupal" por S. T. M. Lane *et alii*, publicado em *Cadernos PUC – Psicologia*, n° 11, Educ., Cortez Editora, 1981.

É nesta tradição que conceitos como de coesão, liderança, pressão de grupo foram sendo desenvolvidos em base de observações e experimentos. Tem-se assim descrições de processos grupais que permitem apenas a reprodução, através da aprendizagem de grupos produtivos para o sistema social mais amplo.

Pudemos observar que os estudos sobre pequenos grupos nesta abordagem tem implícitos valores que visam reproduzir os de individualismo, de harmonia e de manutenção. A função do grupo é definir papéis e, consequentemente, a identidade social dos indivíduos; é garantir a sua produtividade social. O grupo coeso, estruturado, é um grupo ideal, acabado, como se os indivíduos envolvidos estacionassem e os processos de interação pudessem se tornar circulares. Em outras palavras, o grupo é visto como a-histórico numa sociedade também a-histórica. A única perspectiva histórica se refere, no máximo, à história da aprendizagem de cada indivíduo com os outros que constituem o grupo.

De uma outra perspectiva, encontramos alguns autores que procuram analisar processos grupais na sua inserção social e institucional, como é o caso de Horkheimer e Adorno, que veem o microgrupo como a mediação necessária entre o indivíduo e a sociedade e cuja estrutura assume formas historicamente variáveis.

Loureau propõe uma análise das instituições através das relações grupais que nelas ocorrem, caracterizando os grupos em termos de grupo-objeto, onde a segmentaridade se dá de forma a manter os indivíduos justapostos sob uma capa de coerência absoluta — é o que o autor denomina de grupo tipo bando ou seita. Um outro grupo-objeto seria aquele onde os indivíduos se justapõem para a realização de um trabalho e onde a divisão de trabalho determina hierarquias de poder.

É através da análise da transversalidade que se torna possível o conhecimento da segmentaridade do grupo e da sua autonomia, bem como de seus limites, condição para um grupo se tornar gruposujeito, isto é, aquele que percebe a mediação institucional, objetiva e conscientemente.

Também Lapassade analisa grupos quanto a sua dinâmica e seu nível de vida oculto que seria o nível institucional o qual irá determinar as características do grupo se processando numa contradição permanente entre serialização e totalização. Retoma Sartre para caracterizar a serialidade como sendo a própria negação do grupo, onde apesar de haver um objetivo comum, a relação entre os membros não passa de uma somatória, ou seja, eles formam uma série tipo primeiro, segundo, terceiro etc. Somente quando os membros se organizam é que podemos falar em grupo que define, controla e corrige a práxis comum. Lapassade descreve, ainda, o que seria o "grupo-terror", no qual há a figura de poder que determina as obrigações e a manutenção do *status quo*. A este grupo se oporia o grupo-vivo, que se caracteriza por relações de igualdade entre seus membros e pela autogestão.

Ainda dentro de uma proposta dialética, teríamos a teoria de Pichon-Riviere, para quem grupo é "um conjunto restrito de pessoas ligadas entre si por constantes de tempo e espaço, articuladas por sua mútua representação interna, que se propõe de forma explícita ou implícita uma tarefa a qual constitui sua finalidade, interatuando através de complexos mecanismos de atribuição e assunção de papéis". Este autor desenvolve uma técnica operativa para instrumentar a ação grupal visando a resolução das dificuldades internas dos sujeitos, que provêm de ansiedades geradas pelo medo da perda do equilíbrio alcançado anteriormente e do ataque de uma situação nova (desconhecida), medos estes que criam uma resistência à mudança, dificultando os processos de comunicação e aprendizagem.

Desta forma, sua técnica visa uma análise sistemática das contradições que emergem no grupo, através da compreensão das ideologias inconscientes que geram a contradição e/ou estereótipos no processo da produção grupal. Para tanto, o grupo parte da análise de situações cotidianas para chegar à compreensão das pautas sociais internalizadas que organizam as formas concretas de interação, ou seja, das relações sociais e dos sujeitos inseridos nessas relações.

Por último, podemos citar o Grupo Operativo analisado por J. F. Calderón e G. C. C. De Govia, para os quais um "grupo é uma relação significativa entre duas ou mais pessoas" que se processa através de ações encadeadas. Esta interação ocorre em função de necessidades materiais e/ou psicossociais e visa a produção de suas satisfações. A produção do grupo se realiza em função de metas que são distintas de metas individuais e que implicam, necessariamente, cooperação entre os membros.

Os autores fazem uma tipologia dos grupos em função de estágios alcançados por eles, considerando que os grupos estão em constante transformação na medida em que produzem meios para satisfação de suas necessidades. Neste processo, o primeiro estágio seria o de *grupo aglutinado*, no qual há um líder que propõe ações conjuntas e do qual os membros esperam soluções; é um grupo de baixa produtividade. Num segundo momento, temos o *grupo possessivo*, onde o líder se torna um coordenador de funções, e onde as tarefas exigem a participação de todos levando a maior interação e conhecimentos mútuos.

Na terceira fase, temos o *grupo coesivo*, onde há uma aceitação mútua dos membros. o líder se mantém como coordenador e a ênfase do grupo está na manutenção da segurança conseguida, vista como um privilégio. É um grupo que tende a se fechar, evitando a entrada de novos elementos.

Por fim, temos o *grupo independente*, com a liderança amplamente distribuída, pois o grupo já acumulou experiências e aprendizagens; os recursos materiais aumentam e as metas fundamentais vão sendo alcançadas, surgindo novas metas que visam o desenvolvimento pleno dos membros e das pessoas que se relacionam com o grupo. É um grupo onde as relações de dominação são minimizadas e a coordenação das atividades tende para a autogestão.

Os autores observam que não há tipos puros de grupos, pois estes estão sempre se processando dialeticamente, uma etapa englobando aspectos da etapa anterior.

Podemos perceber, por esta revisão de teorias sobre o grupo, uma postura tradicional onde sua função seria apenas a de definir papéis e, consequentemente, a identidade social dos indivíduos, e de garantir a sua produtividade, pela harmonia e manutenção das relações apreendidas na convivência. Por outro lado, temos teorias que enfatizam o caráter mediatório do grupo entre indivíduos e a sociedade enfatizando o processo pelo qual o grupo se produz; são abordagens que consideram as determinantes sociais mais amplas, necessariamente presentes nas relações grupais.

Essa revisão crítica permitiu levantarmos algumas premissas para conhecer o grupo, ou seja: 1) o significado da existência e da ação grupal só pode ser encontrado dentro de uma perspectiva histórica que considere a sua inserção na sociedade, com suas determinações econômicas, institucionais e ideológicas; 2) o próprio grupo só poderá ser conhecido enquanto um processo histórico, e neste sentido talvez fosse mais correto falarmos em processo grupal, em vez de grupo.

Destas premissas decorre que todo e qualquer grupo exerce uma função histórica de manter ou transformar as relações sociais desenvolvidas em decorrência das relações de produção, e, sob este aspecto, o grupo, tanto na sua forma de organização como nas suas ações, reproduz ideologia, que, sem um enfoque histórico, não é captada. De fato, o estudo fracionado de pequenos grupos tem endossado os aspectos ideológicos inerentes ao grupo como naturais e universais, reproduzindo, assim, ideologia com roupagem científica.

A sequência do trabalho se caracterizou pela discussão de como uma análise dialética poderia captar o grupo enquanto processo e, inserido numa totalidade maior, levar ao conhecimento dos aspectos concretos desse fato social.

Num artigo anterior, Lane aponta para a tradição biológica da psicologia como um dos maiores entraves para o estudo do comportamento social dos indivíduos, o que não significa a negação do biológico, mas da concepção que decorre desta tradição, onde o ser humano é visto como possuidor de uma existência abstrata, única, isolada de tudo e de todos. Mesmo antes do nascimento, o homem desenvolve-se biologicamente numa relação direta com seu meio ambiente, o que significa que o tornar-se homem está intimamente ligado com um ambiente, que não pode ser visto como "natural", mas como um ambiente construído pelo homem. Assim, a relação homem-meio implica a construção recíproca do homem e do seu meio, ou seja, o ser humano deve ser visto como produto de sua relação com o ambiente e o ambiente como produto humano, sendo, então, basicamente social.

O ambiente, visto como produto humano, se desenvolve a partir da necessidade de sobrevivência, que implica o trabalho e a consequente transformação da natureza; a satisfação destas necessidades gera outras necessidades, que vão tornando as relações de produção gradativamente mais complexas. O desenvolvimento da sociedade humana se dá a partir do trabalho vivo, que produz bens e a consequente acumulação de bens (capital), e a necessidade do trabalho assalariado; em última análise, a formação de classes sociais. Logo, as relações de produção geram a estrutura da sociedade, inclusive as determinações socioculturais, que fazem a mediação entre o homem e o ambiente.

Uma abordagem psicológica do ser humano teria de enfatizar necessariamente, para uma compreensão completa do homem, uma macro e microanálise, em que a primeira abrangeria todo o contexto social, estrutura, relações etc., e a segunda se direcionaria para o homem formado por este contexto e, portanto, agindo, percebendo, pensando e falando segundo as determinações desse contexto, que, atuando como mediações, foram internalizadas pelo ser humano.

O indivíduo, na sua relação com o ambiente social, interioriza o mundo como realidade concreta, subjetiva, na medida em que é pertinente ao indivíduo em questão, e que por sua vez se exterioriza em seus comportamentos. Esta interiorização-exteriorização obedece a uma dialética em que a percepção do mundo se faz de acordo com o que já foi interiorizado, e a exteriorização do sujeito no mundo se faz conforme sua percepção das coisas existentes.

Assim, a capacidade de resposta do homem decorre de sua adaptação ao meio no qual ele se insere, sendo que as atividades tendem a se repetir quando os resultados são positivos para o indivíduo, fazendo com que estas atividades se tornem habituais.

Todos os processos de formação de hábitos antecedem a institucionalização dos membros, esta ocorrendo sempre quando as atividades tomadas hábitos se amoldam em tipos de ações que são executadas por determinados indivíduos. Assim, a instituição pressupõe que, por exemplo, o dirigente e o funcionário ajam de acordo com as normas estabelecidas, e assim por diante. É importante notar que essas tipificações são elaboradas no curso da história da instituição, daí só se poder compreender qualquer instituição se aprendermos o processo histórico no qual ela foi produzida.

Também é importante ressaltar o fato de que, quanto mais solidificados e definidos forem esses padrões, mais eficiente se torna o controle da sociedade sobre os indivíduos que desempenham esses papéis.

O estabelecimento de papéis a serem desempenhados leva à sua cristalização, como, por exemplo, o papel da mulher enquanto formas de ser e agir. Essa cristalização faz com que os papéis sejam vistos como tendo uma realidade própria, exterior aos indivíduos que têm de se submeter a eles, incorporando-os. Esta incorporação dos papéis pelos indivíduos realiza-se sob a forma de crenças e valores que mantêm a diferenciação social, visto estar fundamentada na distribuição social do conhecimento e na divisão social do trabalho.

Desta forma, o mundo social e institucional é visto como uma realidade objetiva, concreta, esquecendo-se que essa objetividade é produzida e construída pelo próprio homem.

Cabe à psicologia apreender como se dá esta internalização da realidade concreta e como ela faz a mediação na determinação dos comportamentos do indivíduo.

O ponto inicial do processo se dá a partir do nascimento do homem, sem condições físicas que permitam a sua sobrevivência isoladamente, o que exige uma disponibilidade para a sociabilidade, para tornar-se membro de uma sociedade. A introdução do homem na sociedade é realizada pela socialização, inicialmente a primária e posteriormente a secundária.

Na nossa sociedade, a socialização primária ocorre dentro da família, e os aspectos internalizados serão aqueles decorrentes da inserção da família numa classe social, através da percepção que seus pais possuem do mundo, e do próprio caráter institucional da família.

A socialização secundária decorre da própria complexidade existente nas relações de produção, levando o indivíduo a internalizar as funções mais específicas das instituições, as subdivisões do mundo concreto e as representações ideológicas da sociedade, de forma a incorporar uma visão de mundo que o mantenha "ajustado" e, consequentemente, alienado das determinações concretas que definem suas relações sociais.

Podemos então verificar que toda análise que se fizer do indivíduo terá de se remeter ao grupo a que ele pertence, à classe social, enfocando a relação dialética homem-sociedade, atentando para os diversos momentos dessa relação.

A seguir foram propostas algumas sugestões para a análise do indivíduo inserido num processo grupal, a partir do materialismo dialético.

Em primeiro lugar, devemos partir da ideia de que o homem com quem estamos lidando é fundamentalmente o homem alienado, embora essa alienação possa assumir formas e graus diferentes. Nesse sentido, suas representações e sua consciência de si e do outro são sempre, num primeiro momento, fundamentalmente desencontradas das determinações concretas que as produzem. Há sempre dois níveis operando: o da vivência subjetiva, marcado pela ideologia, onde cada um se representa como indivíduo livre, capaz de se autodeterminar, "consciente" de sua própria ação e representação; e a da realidade objetiva, onde as ações e interações estão sempre comprimidas e amalgamadas por papéis sociais que restringem essas interações ao nível do permitido e do desejado (em função da manutenção do *status quo*). O nível da vivência subjetiva reproduz a ideologia do capitalismo (o individualismo, o *self-made-man*), o nível da realidade objetiva reproduz o cerne do sistema, ou seja, a relação dominador-dominado, explorador-explorado. Naffah mostrou, num trabalho recente, como, num sistema capitalista, os papéis sociais sempre reproduzem a dinâmica básica dos papéis históricos, ou seja, a relação dominador-dominado. Qualquer análise de um processo grupal que se apoie no materialismo dialético tem de partir, necessariamente, desses dois níveis de análise. A emergência da consciência histórica, portanto, de uma ação social como práxis transformadora, significaria o nível das determinações concretas rompendo as representações ideológicas e se fazendo consciência, momento em que a dualidade desapareceria.

Em segundo lugar, todo grupo ou agrupamento existe sempre dentro de instituições, que vão desde a família, a fábrica, a universidade até o próprio Estado. Nesse sentido, é fundamental a análise do tipo de inserção do grupo no interior da instituição; se foi um grupo criado pela instituição, com que funções e finalidades o foi; se surgiu espontaneamente, que condições presidiram seu surgimento, se foi no sentido de manutenção ou de contestação dessa mesma estrutura institucional etc. Por outro lado, dado o estado geral da alienação, toda tarefa que o grupo se propõe deve apresentar, pelo menos de início, um estado maior ou menor de alienação; isso posto, cumpre observar como a realização dessa tarefa opera nos dois níveis de análise: o da vivência subjetiva e o das determinações concretas do processo grupal.

Em terceiro lugar, a história de vida de cada membro do grupo também tem importância fundamental no desenrolar do processo grupal. Para fins de observação e análise, entretanto, poder-se-ia dizer que a história de cada um acha-se condensada, no grupo, pelo sistema de papéis que ele assume e desempenha no decorrer do processo. Ou seja, a história de cada um presentifica-se pelas formas concretas através das quais ele age, se coloca, se posiciona, se aliena, se perde ou se recupera ao longo do processo. Isso não exclui, entretanto, a necessidade de uma pesquisa mais sistemática da história de cada um, quando isso se fizer necessário.

Em quarto lugar, tomando-se os dois níveis de análise, o da vivência subjetiva e o das determinações concretas do processo grupal, é sempre ancorada no segundo nível que qualquer dialética poderá se desenvolver. Isso não quer dizer, entretanto, que esses dois níveis não se codeterminem e não se engendrem reciprocamente ao longo do processo. Quer dizer, simplesmente, que é ao nível do desempenho dos papéis que se reproduz a relação dominadordominado, a luta pelo poder, e que é, portanto, nesse nível que podem emergir os processos de oposição, negação, contradição e negação da negação, que constituem qualquer processo dialético.

É também fundamental o desenrolar das vivências subjetivas e das representações ideológicas do grupo, primeiramente, porque vão refletir o grau com que se mascaram as determinações concretas ou se deixam emergir como consciência prática. De forma geral, diríamos que as contradições fundamentais se dão no nível da ação e da interação grupal, onde o exercício da dominação tenderia a gerar contradição e negação da própria dominação (através dos papéis). Ora, é a dominação e o seu exercício que sustentam a representação ideológica do *individualismo* (na medida em que o indivíduo só pode ser "livre" e autônomo pela negação de outro indivíduo, quer dizer, pela negação na interdependência entre si mesmo e o outro). Neste sentido, as contradições emergentes nesse nível tendem a produzir outra contradição, agora entre o nível das determinações concretas e o da vivência subjetiva. Dessa segunda contradição, que chamaríamos de periférica, poderia nascer ou não um tipo de consciência prática, capaz de engendrar qualquer práxis grupal. A emergência dessa consciência pode, entretanto, ser dificultada por rearranjos ou reorganizações do sistema de representações ideológicas presente no grupo, através dos próprios membros ou da instituição à qual o grupo pertence (um chefe, por exemplo, pode veicular a ideologia da instituição no grupo). Em grupos mais sofisticados, podemos ter esse nível ideológico impedindo o desenrolar das contradições até mesmo no nível das determinações concretas, controlando o desempenho dos papéis até um ponto × onde ele não ameace a ordem instituída (aí aparece, por exemplo, a ideologia da integração grupal, da coesão etc.).

E por último, quanto aos papéis sociais, eles aparecem enquanto interação efetiva no nível das determinações concretas, onde reproduzem a estrutura relacional característica do sistema (relação dominador-dominado); entretanto, eles também existem no nível das vivências subjetivas, enquanto representação ideológica. Assim, por exemplo, o papel de "líder" pode, no nível das determinações concretas, exercer uma ação de dominação e ser vivido no nível das representações ideológicas como mero "coordenador", que só quer o bem do grupo e preservar a liberdade de todos. Nesse nível os papéis funcionam como máscaras; no outro nível, o da ação, como elementos de denúncia e motores da dialética.

Estas reflexões teóricas foram se processando simultaneamente com observações de grupos em situações naturais, e numa primeira etapa, permitiram precisar dois aspectos primordiais, ou seja, como se caracteriza a participação dos membros do grupo e que seria a produção ou produto de grupo.

Quanto ao aspecto de participação no grupo, as observações feitas sugeriram de início que este poderia se caracterizar em termos de oposição e/ou conflitos, porém observações subsequentes, em outras condições, indicavam que a participação ocorria na forma de "acréscimos" ou "contribuições", dentro de um processo de comportamentos encadeados. As observações também permitiram analisar o significado de comportamentos paralelos, como comentários entre duas pessoas, que, mesmo se relacionados com o tema em discussão, só poderiam ser entendidos como participação no momento em que fossem compartilhados por todos os membros do grupo; ou seja, em nada resultaria alguém ter uma "ideia genial", se esta não fosse transmitida a todos; neste sentido, por mais "participante" que cada indivíduo se sentisse, isto não teria significado para o processo grupal: apenas a ação efetiva compartilhada com os outros é que poderia ser caracterizada como participação.

Outro aspecto constatado foi que o significado das participações individuais, na maioria das vezes, não era dado pela situação em si, mas exigia mais informações a respeito da inserção de cada um, quanto às suas relações sociais, no contexto mais amplo (instituição) dentro do qual o grupo se processa. Caso contrário, tínhamos apenas um relato mecânico e vazio de comportamentos em sequência. Quando obtidas estas informações, ficava clara a relação entre a instituição e os papéis desempenhados no grupo, que, num primeiro momento, foram vistos como características peculiares de cada um de atuar no grupo.

As observações permitiram uma análise de participação em termos de "assumir papéis", e em que medida estes são preexistentes ao grupo e definidos institucionalmente, com a função implícita de reproduzir relações sociais e, como tal, mascarar as contradições decorrentes de relações de dominação existentes em papéis ditos complementares. Na medida em que os papéis são desempenhados como "naturais", os indivíduos têm pouca consciência de sua participação no grupo: as coisas acontecem como "devem ser"; senão, é porque alguém não cumpriu com o seu papel... E pode-se, então, observar a cristalização de papéis, que significa evitar qualquer comportamento novo que possa levar a um questionamento do grupo e sua possível desestruturação — o objetivo é sempre o de evitar conflitos. Neste sentido poder-se-ia dizer que a participação se torna circular e o grupo se caracterizou pela preservação da alienação de seus membros.

Quando, em um grupo observado, os membros fizeram uma análise das determinações institucionais que permeavam as relações entre eles, observou-se a emergência de um sentido de "nós — o grupo". Neste momento, questionaram a presença de observadores "de fora" e impediram a divulgação das observações daquele grupo, procurando assim a preservação do grupo enquanto tal. A participação que se desenvolveu entre os membros, nessa ocasião, sugeriu um processo em espiral, onde as contradições acabariam por se aclarar, levando o grupo a uma transformação qualitativa na participação e na produção grupal. Infelizmente, a autopreservação do grupo impediu acompanhar o processo e constatar as decorrências desta análise feita pelo grupo.

Em termos teóricos, parece ser necessário que o assumir papéis seja questionado pelo grupo, e sua negação só ocorrerá na medida em que os indivíduos tomem consciência das determinações históricas, inerentes aos papéis e aos indivíduos, que estão presentes nas participações de cada um no processo grupal. Como consequência desta análise, foi feita uma crítica às técnicas de treinamento de grupo em que se enfatizam a troca de papéis, a liderança funcional, como formas alternativas de impedir a emergência de contradições e manter o grupo na sua função ideológica de reprodutor de relações sociais.

Os grupos observados não permitiram, dado o tempo restrito em que foram acompanhados, precisar como aconteceria este processo em espiral, ficando para ser melhor explicitada a questão de como a contradição emerge: se a nível de um ou de vários indivíduos, e de como se daria a superação da contradição, quando os mecanismos institucionais (exemplo: troca de papéis) que procuram impedir a emergência de contradições também são negados, e o grupo se torna consciente de suas determinações históricas.

Estreitamente vinculada à discussão da participação grupal, se deu a análise da produção do grupo, que separamos para atender a uma forma didática de exposição, mas que de fato não pode ser vista separadamente, pois toda a participação se dá dentro de um processo de produção grupal.

A partir das observações iniciais, constatou-se que a produção do grupo não poderia ser identificada, necessariamente, com a tarefa nem com os objetivos do grupo. A produção seria a própria ação grupal, que se dá pela participação de todos, seja em torno de uma tarefa, seja visando um objetivo comum. Seria processo de produção o grupo se organizar, assumir papéis, realizar tarefas, em outras palavras, seria se produzir como grupo, ou seja, a práxis grupal, como afirma Sartre, a "materialidade que estabelece as relações entre os homens". Nas relações entre os indivíduos, pela participação entre eles, estes se transformam e transformam o grupo, produzindo o próprio grupo.

Assim, a produção grupal se daria num processo em espiral — parte deste processo já tem sido estudado pelas teorias de dinâmica de grupo, quando caracterizam a individualização no assumir papéis, quando analisam o grupo como necessário para definir a identidade social de cada um. Porém, via de regra, elas param neste ponto; quando muito reconhecem na cristalização de papéis uma certa estagnação, propondo então formas alternativas de participação (troca de papéis, liderança funcional etc.) como soluções para garantir o bom funcionamento do grupo, ou seja, garantir a "circularidade" na participação, como já vimos anteriormente.

Se na análise do processo de produção aplicarmos a lei da negação, vemos que as teorias tradicionais sobre grupo permanecem na primeira negação, ou seja, o grupo como negação da condição de "espécie biológica" do homem que os mantém semelhantes, permitindo a concretização de individualidades, de diferenciações entre elas, diferenciações que se cristalizam em papéis que definem as relações sociais a serem mantidas. No momento em que isto se dá, cessaria o processo de produção. Teríamos a rotina, a institucionalização do grupo, segundo Sartre. Porém, esta é uma condição que nossas observações do cotidiano mostram que não se perpetua: o grupo entra em "crise", se desestrutura.

A questão que se colocou foi: Como o grupo superaria esta situação? O que seria neste caso a negação da negação, necessária para a produção grupal? O que significa no processo grupal uma negação da individualidade, que a supere sem retornar ao primeiro elemento negado? E aqui, a análise da participação permite precisar a segunda negação, quando, através da constatação da função ideológica e mascaradora dos papéis assumidos dentro de um contexto histórico que leva os indivíduos a se desalienarem, ou seja, se perceberem enquanto membros da sociedade, semelhantes nas suas determinações históricas, a abrirem mão desta individualidade institucionalizada para efetivamente assumirem uma identidade grupal e, consequentemente, uma ação grupal. É somente neste momento que os indivíduos no grupo poderiam ter uma ação social transformadora dentro da sociedade em que vivem.

Esta elaboração teórica inicial indica que o estudo de pequenos grupos se torna necessário para entendermos a relação indivíduo-sociedade, pois é o grupo condição para que o homem supere a sua natureza biológica e também condição para que ele supere a sua natureza "individualista", se tornando um agente consciente na produção da história social.

Muitos estudos e pesquisas são necessários para que este processo seja conhecido concretamente; esperamos ter aberto um caminho.

Numa segunda etapa, onde novos grupos foram observados em todas suas reuniões, pudemos precisar melhor as formas de participação e o processo de produção grupal.

Diante dos relatos de observações dos diversos grupos, em todos os seus encontros, pudemos analisar alguns aspectos fundamentais do processo grupal, ou seja, as relações de dominação, as lutas pelo poder, as determinações institucionais de papéis e mais, no confronto com propostas teóricas, fazer uma análise crítica do conhecimento que se tem elaborado sobre grupos.

A partir de alguns fatos que ocorreram em um grupo operativo, levantamos a hipótese de que a antiguidade de um membro no grupo lhe atribui poder e direitos sobre os demais, poder este que é ideologizado em termos de "experiência, sabedoria, títulos e mesmo dedicação, seriedade etc." Analisando os demais grupos, a hipótese parece se confirmar quando, num grupo de trabalho em periferia, a coordenação é assumida por um membro "mais experiente", sem qualquer questionamento pelos demais, pelo contrário, o grupo sequer inicia uma reunião sem a presença deste coordenador, mesmo quando poderiam tomar decisões sem a sua contribuição.

Num grupo que constituía a diretoria de um sindicato, a antiguidade se apresenta na forma de idade e experiência profissional, atribuindo poder ao presidente e ao 2º secretário. Aqui percebemos claramente a determinação institucional, no sentido de que, formalmente, é exigida uma chapa com cargos e funções definidos. Apesar de o grupo ter assumido a diretoria com o propósito de um trabalho em equipe onde todos seriam iguais enquanto poder de decisão, e hierarquia prevalece quando, em situações de desacordo ou conflito entre os dois "mais antigos" o grupo apoia e acompanha aquele que ocupa o cargo mais elevado, ou seja, a submissão atribui poder de dominação a um membro.

Numa diretoria de entidade estudantil também vimos a antiguidade presente, porém escamoteada por diferentes propostas e/ou posturas políticas não explicitadas. Neste grupo, a luta pelo poder se apresenta claramente, mas agora entre "velho" e "novo". Numa equipe de professores a "luta" que ocorre também se caracteriza por dominação ora pelo mais antigo, ora por um dos mais novos. Neste grupo surge também um aspecto observado na diretoria do sindicato — o grupo é que busca apoio e submissão e com isto atribui poder a um ou a outro — ou seja, os elementos da relação dominador--dominado são opostos na unidade, mas implicando, necessariamente, o outro. O antigo assume "naturalmente" a coordenação e se caracteriza como sendo mais experiente e mais titulado e também o ponderado e de bom senso. Por outro lado, o novo é visto como contestador avançado e transformador.

Estes dois grupos (estudantil e professores) nos levaram a questionar o quanto a instituição universitária, especificamente, a PUC-SP, estaria propiciando a emergência de um papel do "novo" contestador quando, ao mesmo tempo, valoriza a titulação e a carreira (antiguidade) de seus membros.

A relação de dominação em um grupo de presidiários parece ser fortemente permeada pela instituição — o caráter repressivo, que define o presídio, é negação de qualquer poder individual, porém, observou-se comportamentos decisivos para o grupo em questão que sugerem alguma forma de dominação — é o caso de um presidiário que de início contesta a atividade que o grupo se propõe a desenvolver, negando e se afastando do grupo, e este se afirma executando a tarefa proposta. Também o desabafo pessoal de um dos membros, após um espetáculo organizado pelo grupo, o qual é ouvido passivamente pelos demais, determinará o teor da reunião seguinte, levando o grupo a uma análise de suas condições sociais num processo de identificação tanto com o primeiro como com o segundo. A emergência de um poder negado parece propiciar um salto qualitativo do grupo em termos de conscientização social, quando ele chega a perceber a responsabilidade do Estado pelas condições de vida que geraram a situação atual de todos os membros do grupo.

Neste grupo de presidiários a questão de antiguidade não pôde ser observada, e possivelmente não deve ocorrer dado o próprio caráter institucional onde não há vantagens nem necessidade de ideologizar qualquer relação de dominação. Por outro lado, no grupo operativo onde as interferências institucionais são minimizadas, a antiguidade dá o poder de "dono do grupo" ao membro que compareceu a todas as reuniões, inclusive as que não ocorreram por falta de *quorum*. No papel de coordenador em confronto com o coordenador oficial, exclui um dos membros, que de início assumira certa liderança mas que deixou de comparecer a alguns encontros, e foi considerado um elemento "novo" e objeto de decisão de poder ou não ingressar no grupo, igual a outros candidatos que se apresentaram na ocasião.

Os grupos observados permitiram analisar como a dominação se reproduz e sua ideologização produzida institucionalmente, justificando tanto as lutas pelo poder, como a submissão dos membros do grupo atribuindo poder a um elemento, e assim reproduzindo relações sociais necessárias para que as contradições não emerjam e nem sejam superadas.

A análise das observações também nos permitem um confronto com as diversas teorias sobre grupo. Assim, quando Lewin conceitua liderança a partir de situações experimentais, apenas descreve o aparente sem captar as relações de poder que existam mesmo sob liderança "democrática", e que o leva a concluir, paradoxalmente, da necessidade, de uma liderança democrática *forte* para um grupo chegar a ser autônomo, ou seja, efetivamente democrático. A pressuposição de um líder forte implica um poder que será, "doado" a todos, impedindo a emergência da contradição e consequentemente a conscientização dos membros do grupo. Para Lewin, os grupos de professores e da diretoria do sindicato seriam vistos como democráticos, sem possibilidade de analisar o movimento de submissão do grupo nem a veiculação ideológica na atribuição de poder. Sob esta perspectiva os grupos só podem reproduzir relações mantenedoras do *status quo*. São estes pressupostos e a metodologia adotada que levam os pós-lewinianos à reificação de grupo, como processo "natural" e "universal", reproduzindo a ideologia dominante que define os papéis grupais em termos de complementaridade, de produtividade e de coesão, sem que a instituição que os engendra nem suas determinantes históricas sejam consideradas na análise.

Já Horkheimer e Adorno, ao fazerem a crítica do estudo de microgrupos, apontam para o caráter histórico dos grupos e a impossibilidade de generalizações a partir do empírico. Como pudemos ver pela análise dos grupos observados, na aparência as relações são peculiares e somente no aprofundamento da análise do processo ocorrendo, com suas determinações sociais mais amplas, pode-se captar a natureza reprodutora das relações que se desenvolvem em cada grupo, enquanto relações de dominação.

Quanto a Loureau, ele contribui para se detectar o quanto os grupos observados se mantêm como grupos-objeto, na medida em que coesão, harmonia, unidade permeiam as relações, mantendo hierarquias de poder. É interessante notar que apenas o grupo de presidiários, onde o poder repressivo da instituição nega qualquer agrupamento, é aquele que apresenta maior potencial em direção a vir a ser um grupo-sujeito, possivelmente, pela necessidade de definir uma distância institucional, a qual não poderá jamais tender a ser infinita, dadas as condições objetivas de um presidio. A análise da instituição e das determinantes sociais feitas pelo grupo caracterizam um processo de transversalidade, tornando possível ao grupo passar de objeto a grupo-sujeito.

A contribuição de Lapassade é uma análise grupal dentro de instituições e organizações e as articulações que determinam as relações nos grupos, partindo da análise feita por Sartre. Nos grupos observados, a presença da instituição permeia as relações sociais, sendo marcante no grupo de presidiários onde a condição de igualdade de seus membros parece facilitar a identificação entre eles e a análise de suas condições sociais em termos mais abrangentes. Também a diretoria do sindicato é determinada institucionalmente quando os cargos que caracterizam divisão de trabalho são hierarquizados, levando os membros, *em situação de conflito, a se utilizarem* da hierarquia para chegarem a decisões num aparente consenso.

A instituição universitária está claramente presente no grupo de professores quando a titulação define coordenação e quando desobriga os monitores de uma participação mais ativa, permanecendo numa postura de aprendizes. A diretoria da entidade estudantil parece estar permeada por instituições políticas que dado o pouco tempo de observação e as várias nuanças de grupos políticos universitários dificulta uma análise de suas determinações institucionais.

Porém a PUC, como instituição, permeia os dois grupos pela ênfase no "novo" contestador que vem se tomando um papel esperado, se não institucionalizado.

Os outros dois grupos — operativo e de trabalho na periferia — por se posicionarem como a-institucionais necessitariam de mais dados enquanto características individuais para se detectar a presença de instituições.

A proposta de Pichon-Riviêre, aparentemente próxima à nossa, mas diante das observações de grupos operativos suscitou uma série de questões relativas à análise dialética das formas de interação entre os membros do grupo. A principal foi a constatação de relações de dominação que geram alto nível de ansiedade nos grupos a ponto de eles se desfazerem na primeira oportunidade. Fica a questão se o problema reside na teoria ou na prática desenvolvida. Do ponto de vista teórico, apesar de a proposta ser de uma abordagem materialista dialética, o autor propõe um "esquema conceitual", teórico, ao invés de categorias que remetam a fatos concretos, no que se aproxima do modelo leviniano, onde a teoria leva aos fatos (ao empírico) e estes reformulam a teoria. Por outro lado, a dialética proposta se caracteriza como idealista, pois pressupõe contradições entre o "interno" e o "externo" do indivíduo, entre sujeito e grupo, entre o implícito e o explícito e entre projeto e resistência à mudança. Nenhuma relação é estabelecida com a contradição fundamental das condições históricas da sociedade onde o grupo se insere. Desta forma, o psicólogo considerado como uma entidade em si implica uma concepção dicotômica e idealista do homem. E esta visão determina o papel de coordenador como dono de um saber que o permite interpretar o psíquico oculto de cada indivíduo, membro do grupo; este saber faz do coordenador uma figura de poder que leva os membros ao que chama de "adaptação ativa". Desta forma, a conscientização que propõe atingir pela práxis nada mais é que um processo terapêutico tradicional (autoconhecimento) sem que necessariamente seja um processo de conscientização social onde determinações históricas de classe e as especificidades da história individual se aclaram e se traduzem em atividades transformadoras.

Do mesmo modo a concepção de papéis, por um lado definidos institucionalmente, por outro objetivo de "expectativas" individuais — como produto singular isento de determinações histórico-sociais — permitem a mediação ideológica dos papéis, pois se apenas contradições entre o "interno" e o "externo" são analisadas, passa despercebida a reprodução das relações sociais necessárias para que as contradições não emerjam nem sejam superadas.

Na abordagem de Calderón e De Govia a proposta materialista histórica não se confunde com teorias psicanalíticas, mantendo a unicidade do indivíduo como produto histórico e manifestação de uma totalidade social. São as necessidades que reúnem indivíduos em grupo para, cooperando, satisfazê-las. Para tanto, se organizam de formas próprias (lideranças) e cuja análise permite aos autores detectar estágios e tipificar os grupos.

Segundo esta tipologia poderiam os dizer que o grupo da entidade estudantil ainda estaria numa fase de "aglutinado", caminhando para dois subgrupos "possessivos"; o de trabalho em periferia seria tipicamente "possessivo", enquanto a diretoria do sindicato, por suas características institucionais, estaria entre "possessivo" e "coesivo"; o grupo de professores parece estar caminhando de "coesivo" para "independente"; o grupo operativo, por sua vez, parece oscilar entre "aglutinado" e "coesivo". Difícil foi caracterizar o grupo do presídio; enquanto preparação do espetáculo foi um grupo "possessivo", e depois deste, na última reunião observada, parece estar se tornando "independente".

Esta abordagem é, sem dúvida, a que mais se aproxima da nossa, mas a caracterização de estágios ou tipos de grupos não é suficiente para responder à questão de como o grupo se processa, superando contradições, até se tornar condição de conscientização de seus membros e, consequentemente, agentes históricos.

Outros grupos foram observados com a preocupação de precisar uma metodologia de análise e permitiram concluir sobre a não--neutralidade do observador e, principalmente. sobre a sua interferência no processo grupal, mesmo quando afastado fisicamente e sem qualquer participação no processo. Foram casos onde o próprio grupo, se avaliando, comentava a presença do observador como responsável pela maior produtividade do grupo, ou ainda, no caso já citado, o caráter perturbador do observador, exigindo dele um compromisso de sigilo e de participação no grupo.

Diante destes fatos, novas observações foram feitas, mas assumindo a intervenção como inevitável, colocando-se o observador à disposição do grupo para narrar a sua análise a qualquer momento, pois também aclarou para nós que o grupo só dá saltos qualitativos no seu processo quando ocorrem análises e reflexões críticas no próprio grupo. Com isto esperávamos precisar as condições necessárias para que um grupo se tornasse consciente e transformador. Esta nova etapa de observações participantes foi sendo também confrontada com as observações feitas anteriormente, o que nos permitiu precisar algumas categorias fundamentais para a análise do processo grupal.

A primeira categoria detectada foi a de produção, onde a produção da satisfação de necessidade, como apontado por Calderón e De Govia, implica necessariamente a produção das relações grupais, ou seja, a produção do grupo é produção grupal — é o processo histórico do grupo. Ou seja, o processo grupal se caracteriza como sendo uma *atividade produtiva*.

Uma segunda categoria definida é a de dominação, no sentido de que na sociedade brasileira capitalista as condições infraestruturais para serem reproduzidas implicam mediações tais que, de formas as mais diversas, reproduzem relações de dominação, e que estas implicam a unicidade dominação-submissão, ou seja, nos grupos onde a proposta de relacionamento é de igualdade entre os membros detecta-se a dominação pela submissão dos membros a uma outra pessoa. Esta categoria leva necessariamente à análise das instituições que fazem a mediação infra e superestrutural, através da definição de papéis como necessários para a reprodução de relações sociais conforme previstos pelas instituições de uma dada sociedade.

A categoria de grupo-sujeito (adotamos a denominação de Loureau) de fato só pode ser precisada nessa última etapa de observações quando o observador, como participante, analisava as contradições decorrentes das relações de dominação, levando o grupo a uma auto-análise, porém, em nenhum momento conseguimos detectar um grupo como um todo agindo em plena consciência. Detectou-se pessoas em processo de conscientização, enquanto outras resistiam a mudanças, e, quando a pressão oriunda da análise se tornava perturbadora, a tendência era sempre de o grupo se desfazer, seja pela separação física, seja pela reorganização de tarefas de forma a torná-las independentes entre si, fazendo com que o produto final fosse apenas somatório de produtos individuais, ou seja, uma reorganização que é a própria negação do grupo.

Esta negação do grupo, confrontada com observação de grupos onde as tarefas eram sempre individuais, sem haver ações necessariamente encadeadas para se atingir um produto, nos leva à categoria de não-grupo e à comprovação de que só é grupo quando ao se produzir algo se desenvolvem e se transformam as relações entre os membros do grupo, ou seja, o grupo se produz. Um exemplo típico de não-grupo é aquele onde as pessoas se reuniam em uma instituição para apreender e fazer trabalhos manuais, cada um envolvido com o seu. Fisicamente as pessoas estão "agrupadas", elas se relacionam conversando assuntos os mais diversificados, porém o fato de cada uma ter o seu trabalho faz com que as relações entre elas não se alterem, por mais tempo que permaneçam juntas.[1]

Acreditamos que para um grupo como tal ser um grupo-sujeito é necessário haver circunstâncias como pressão exterior ao grupo (como no presídio) ou uma condição de marginalização (como um grupo observado de pessoas cegas), ou então haver um forte compromisso entre os membros, como o político ou do tipo de sociedade secreta, pois os processos de conscientização ocorrem em indivíduos em momentos diferentes, passando por estágios diferentes, o que gera contradições, em geral, difíceis de serem superadas, fazendo com que ocorra a dissolução do grupo, antes de uma conscientização grupal. E, obviamente, na nossa sociedade mil e um recursos são oferecidos para evitar esta conscientização grupal, perturbadora para o *status quo*.

Esta análise nos permitiu constatar com clareza, por um lado, que o grupo social é condição de conscientização do indivíduo e, por outro, a sua potência através de mediações institucionais, na produção de relações sociais historicamente engendradas para que sejam mantidas as relações de produção em uma dada sociedade. Outro ponto de fundamental importância para o processo grupal e para superação das contradições existentes é a necessidade de o grupo analisar-se enquanto tal. O grupo que apenas executa tarefas sobre transformações que, se não forem resgatadas conscientemente pelos membros, ele apenas se reajusta, sem que ocorra qualquer mudança qualitativa nas relações entre seus membros.

---

1. Este não-grupo se identifica com o que Sartre e Lapassade chamam de serialidade, e se aproxima da noção de segmentaridade de Loureau. São agrupamentos onde, tanto as necessidades como os motivos e as atividades decorrentes são individuais e não consequências de uma relação onde predomina o "nós" e que exige a cooperação de todos.

Bibliografia

Barremblitt, Gregório (org.), *Grupos – teoria e técnica,* Rio de Janeiro: Graal-IBRAPSI,1982.
Carrera Damas, G., "Puntos de vista de um historiador acerca de la Psicologia Social histórica", *in Boletim Avepso,* nº 1, vol. II, 1979.
Doise, William, *L'articulation psychossociologique et les relations entre groupes*, Bruxelas: Ed. A. de Bock, 1976.
Fernandes Calderón, J. e De Govia, G. C. C., *El grupo operativo teoría y prática*, 2ª ed. México Df: Edit. Extemporáneas, 1978.
Horkheimer, M. e Adorno, T., *Temas básicos de sociologia*, São Paulo: Cultrix e EDUSP, 1973.
Lane, S. T. M., "Uma redefinição da psicologia social", *in Educação e sociedade*, nº 6, jun. 1980.
Lapassade, George, *Grupos, organizações e instituições,* Rio de Janeiro: Livraria Francisco Alves, 1977.
Loureau, René, *A análise institucional*. Petrópolis: Vozes, 1975.
Mao-Tsé-Tung, *Tese da contradição*, Belém: Ed. Boitempo, 1978.
Marx, K. e Engels, F., *L'ideologie allemande*, trad. de R. Cartelle, Paris: Éds. Sociales, 1953.
Marx, K., "These sur Feuerbach" *in* Marx, K. e Engels. F. *Études philosophiques*, Éds. Sociales, 1951.
Montero, Maritza, "Psicologia social e história", *in Boletim AVEPSO*, nº 1. vol. I, 1978.
Naffah Neto, A., *Psicodrama – descolonização imaginária*, São Paulo: Ed. Brasiliense, 1979.
Ofshe Richard, J. (ed.), *Interpersonnal Behavior in Small Groups*, New Jersey: Prentice Hall, 1973.
Pichon Riviere, E., *El proceso grupal – Del psicoanalisis a la psicologia social*, 5ª ed., Buenos Aires: Ed. Nueva Vision, 1980.
Sartre, J.-P., *Critique de la raison dialethique,* Paris: Gallimard, 1960.

Família, emoção e ideologia

José Roberto Tozoni Reis

A família tem estado em evidência. Por um lado ela tem sido o centro de atenção por ser um espaço privilegiado para arregimentação e fruição da vida emocional de seus componentes. Por outro, tem chamado a atenção dos cientistas, pois, ao mesmo tempo que, sob alguns aspectos, mantém-se inalterada, apresenta uma grande gama de mudanças. É comum ouvirmos referências a "crise familiar", "conflito de gerações", "morte da família". Ela também suscita polêmicas: para alguns, família é a base da sociedade e garantia de uma vida social equilibrada, célula sagrada que deve ser mantida intocável a qualquer custo. Para outros, a instituição familiar deve ser combatida, pois representa um entrave ao desenvolvimento social; é algo exclusivamente nocivo, é o local onde as neuroses são fabricadas e onde se exerce a mais implacável dominação sobre as crianças e as mulheres. No entanto, o que não pode ser negado é a importância da família tanto ao nível das relações sociais, nas quais ela se inscreve, quanto ao nível da vida emocional de seus membros. É na família, mediadora entre o indivíduo e a sociedade, que aprendemos a perceber o mundo e a nos situarmos nele. É a formadora da nossa primeira identidade social. Ela é o primeiro "nós" a quem aprendemos a nos referir.

A instituição familiar tem ocupado a atenção de estudiosos de todas as ciências sociais. O que essas abordagens têm tido em comum, via de regra, é o fato de ver a família apenas através da ótica de uma disciplina científica especializada. Pode-se verificar que muitas vezes se repete, com argumentos tirados do repertório científico, o que a ideologia tem veiculado dentro da própria família: a representação da instituição familiar como algo natural e imutável. Assim, por exemplo, Talcott Parsons[1] dá à família uma grande importância, pois para ele a sociedade é um sistema no qual as relações desta com o indivíduo se dão de forma harmoniosa e autorreguladora. A família teria por função desenvolver a socialização básica numa sociedade que tem sua essência no conjunto de valores e de papéis. Parsons fala da sociedade capitalista e torna a família dessa sociedade como universal e imutável: a família nuclear burguesa torna-se sinônimo de família. Outras formas, quando existentes, são consideradas, no máximo, estruturas que ainda vão se diferenciar em direção a esse modelo ideal de família.

Freud[2] também enveredou por essa mesma senda. No entanto, isso não significa uma negação de suas importantes descobertas, mas impõe a necessidade de situá-las em seu devido lugar. Ele colocou às claras o funcionamento interno da família, desmontando os mecanismos psíquicos envolvidos na estrutura familiar e que têm como corolário a dominação e a repressão sexual. Mas o que para Freud é "a família" na realidade trata-se apenas de uma das formas que a instituição familiar assume em determinado momento histórico — a família burguesa. O reducionismo psicológico de Freud, a falta de uma visão social fazem-no também naturalizar e universalizar a família burguesa. Os antolhos ideológicos fazem com que o autor da grande descoberta da função repressiva da família não consiga inserir suas descobertas no contexto da história e, em consequência, postule uma universalidade para a família burguesa, consagrando como natural e inevitável a dominação e a repressão.

A determinação histórica da estrutura familiar coloca em discussão uma importante questão: a das relações entre família e sociedade. Essa discussão teve seu primeiro grande passo nos trabalhos de L. Morgan, que estudou as relações de parentesco em diversas tribos americanas. Engels,[3] apoiando-se nas descobertas de Morgan,

---

1. Parsons, Talcott et alii, *Family Socialization and Interaction Process,* New Yorque: 1955.
2. Para um maior aprofundamento da questão, ver "O conceito de família em Freud", in Poster, M. *Teoria crítica da família,* Rio de Janeiro: Zahar, 1979.
3. Engels, F., *A origem da família, da propriedade privada e do Estado,* Rio de Janeiro: Vitória, 1964.

elaborou a formulação materialista dialética sobre a gênese e as funções da família monogâmica. Para ele, foi na família que se iniciou o processo de divisão social do trabalho que foi inicialmente a divisão do trabalho sexual. Essa divisão foi o ponto de referência para uma complexificação do processo de divisão do trabalho que culminou com a divisão entre trabalho manual e trabalho intelectual e (concomitantemente) com a principal divisão, sobre a qual se funda o modo de produção capitalista: a oposição entre os proprietários das condições de produção e os que possuem apenas uma força de trabalho, explorada pelos primeiros. O estágio de desenvolvimento das forças produtivas e do processo de divisão social do trabalho determinam então a estrutura familiar. Segundo Engels, a família monogâmica surgiu e foi determinada pelo apare cimento da propriedade privada. Da forma de família grupal, na sociedade primitiva, a organização familiar teria evoluído para a família monogâmica, passando por diversos estágios intermediários, cada um deles caracterizado sucessivamente por um grau cada vez maior de restrições às possibilidades de intercurso sexual. A culminância desse processo se deu com o casamento monogâmico, composto por um casal e com um caráter permanente de duração. Uma de suas principais finalidades seria a de garantir a transmissão da herança a filhos legítimos do homem — responsável pela acumulação material —, o que só seria possível com a garantia de que a mulher exerceria sua sexualidade no âmbito exclusivo do casamento. Daí a importância da virgindade e da fidelidade conjugal da mulher. Embora algumas das formulações de Engels estejam ultrapassadas, principalmente no que se refere à aplicação genérica da evolução esquemática dos modelos de família em todas as sociedades, as ligações entre monogamia e propriedade privada, ambas se reforçando reciprocamente, se apresentam cada vez mais sólidas.

A relativa autonomia da organização familiar é determinada por uma complexa interação de diversos fatores que se referem tanto às formas peculiares de organização interna do grupo familiar, quanto aos aspectos econômicos, sociais e culturais que o circunscrevem. É por isso que, embora a forma de família predominante em todos os segmentos sociais seja a da família monogâmica burguesa, existem padrões internos que diferenciam as famílias das diferentes classes, assim como padrões que diferenciam formas familiares diferentes dentro de uma mesma classe social. Atualmente a classe média urbana apresenta uma grande riqueza na variação de padrões familiares. Ao mesmo tempo que abarca a família caracterizada por um extremo conservadorismo e uma rígida hierarquia interna, abrange também formas mais liberais de vivência familiar que marcam tanto as relações entre os seus membros quanto um posicionamento mais crítico diante da sexualidade.

Assim, vê-se que embora a família tenha um nível de autonomia em relação à economia, o que faz, em alguns casos, com que suas mudanças não acompanhem imediatamente e no mesmo sentido as mudanças econômicas, a estratégia familiar é sempre traçada fora dela. É portanto impossível entender o grupo familiar sem considerá-lo dentro da complexa trama social e histórica que o envolve. A partir disso podemos fazer algumas considerações que nos ajudam a situar o presente estudo. A primeira delas é que a família não é algo natural, biológico, mas uma instituição criada pelos homens em relação, que se constitui de formas diferentes em situações e tempos diferentes, para responder às necessidades sociais. Sendo uma instituição social, possui também para os homens uma representação que é socialmente elaborada e que orienta a conduta de seus membros.

A segunda consideração é que a família, qualquer que seja sua forma, constitui-se em torno de uma necessidade material: a reprodução. Isso não significa que é necessário haver uma determinada forma de família para que haja a reprodução, mas que esta é condição para a existência da família.

A terceira consideração é que, além da sua função ligada à reprodução biológica, a família exerce também uma função ideológica. Isto significa que além da reprodução biológica ela promove também sua própria reprodução social: é na família que os indivíduos são educados para que venham a continuar biológica e socialmente a estrutura familiar. Ao realizar seu projeto de reprodução social, a família participa do mesmo projeto global, referente à sociedade na qual está inserida. É por isso que ela também ensina a seus membros como se comportar fora das relações familiares em toda e qualquer situação. A família é, pois, a formadora do cidadão.

Resumidamente podemos considerar que as duas importantes funções da família são: 1) econômica, no que se refere à reprodução de mão de obra; 2) ideológica, no que se refere à reprodução da ideologia dominante. Alguns tipos de família têm uma função econômica imediatamente visível. É o caso das famílias que se constituem como unidade de produção econômica, os colonos da cultura do café, por exemplo, ou as famílias proprietárias de terras em frentes agrícolas, nas quais o trabalho familiar é a atividade mais viável.[4] Como a ideologia opera na família? Ela começa por apresentar uma noção ideologizada da própria família. Essa noção, veiculada principalmente pelos pais, os principais agentes da educação, ensina a ver a família como algo natural e universal e, por isso, imutável. Depois passa a apresentar da mesma forma o mundo extrafamiliar e todas as relações sociais. É claro que a família cumpre sua função ideológica em complementação a outros agentes sociais. Sua importância, às vezes relativizada no processo global da transmissão da ideologia dominante, não pode ser negada. Althusser, por exemplo, ao descrever as instituições usadas pelo Estado na manutenção da dominação política da burguesia, considera a família um importante aparelho ideológico, embora afirme ser a escola o aparelho ideológico mais utilizado.[5]

Marcuse,[6] ao estudar as sociedades capitalistas mais avançadas, aponta uma descentralização das funções da família, o que ele qualifica como um aperfeiçoamento dos mecanismos de dominação. Se a família burguesa dos períodos anteriores criava a submissão, criava também a revolta que se expressava no inconformismo e na luta contra o pai e a mãe, alvos facilmente identificáveis como agentes da dominação. Na civilização madura "a dominação torna-se cada vez mais impessoal, objetiva, universal e também cada vez mais racional, eficaz e produtiva".[7] O que antes era função quase exclusiva da família é hoje disseminado por uma vasta gama de agentes sociais, que vão desde a pré-escola até os meios de comunicação de massa, que utilizam a persuasão na imposição de padrões de comportamento, veiculados como normais, dificultando a identificação

---

4. Ver Brandão, Carlos Rodrigues, "Parentes e Parceiros (relações de parentesco entre camponeses de Goiás)", in Almeida, Maria S. Kofes de, *Colcha de retalhos: estudos sobre a família no Brasil*, São Paulo: Brasiliense, 1982.
5. Ver Althusser, Louis, *Ideologia e Aparelhos Ideológicos do Estado*, Portugal: Presença, Brasil: Martins Fontes, 1974.
6. Ver Marcuse, H., *Eras e civilização: Uma interpretação filosófica do pensamento de Freud*, Rio de Janeiro: Zahar, 1972.
7. Marcuse, H., "A dialética da civilização", in Marcuse, H., *Eras e civilização*, Parte I, cap. 4 p., 91, Rio de Janeiro: Zahar, 1972.

do agente repressor. Apesar da veracidade dos argumentos expostos. não se pode dizer que a família hoje seja dispensável ou que tenha sua importância diminuída no processo de imposição da ideologia dominante. Apesar da ação eficiente da escola e dos outros agentes citados por Marcuse, que agem de forma mais racional e organizada, não resta dúvida de que essa eficiência só é possível porque apoia-se sobre as bases ideológicas estabelecidas pela família, que inclusive preparou anteriormente seus membros para reconhecer outras formas de autoridade. A atuação familiar é vivida intensamente pelos indivíduos, agindo poderosamente no exercício da subordinação ideológica, pois está presente desde o início da vida e é marcada por fortes componentes emocionais que estruturam de forma profunda a personalidade de seus membros.

Para entendermos mais profundamente como a família cumpre suas funções de agente da reprodução ideológica é necessário voltarmos a atenção para o seu funcionamento interno. Nesta perspectiva, podemos observar o que mais a diferencia de outros grupos: ela é o *locus* da estruturação da vida psíquica. É a maneira peculiar com que a família organiza a vida emocional de seus membros que lhe permite transformar a ideologia dominante em uma visão de mundo, em um código de condutas e de valores que serão assumidos mais tarde pelos indivíduos. Para melhor entendermos essa organização interna da família, usaremos os conceitos desenvolvidos por Mark Poster.[8] Para ele "a família é o lugar onde se forma a estrutura psíquica e onde a experiência se caracteriza, em primeiro lugar, por padrões emocionais. A função de socialização está claramente implícita nesta definição, mas a família não está sendo conceptualizada primordialmente como uma instituição investida na função de socialização. Ela é, em vez disso, a localização social onde a estrutura psíquica é proeminente de um modo decisivo".[9] Ela possui também um outro caráter sumamente importante: "Além de ser o *locus* da estrutura psíquica, a família constitui um espaço social distinto na medida em que gera e consubstancia hierarquias de idade e sexo. (...) A família é o espaço social onde gerações se defrontam mútua e diretamente, e onde os dois sexos definem suas diferenças e relações de poder. Idade e sexo estão presentes, é claro, como indicadores

---

8. Poster, Mark, *Teoria crítica da família*. Rio de Janeiro: Zahar, 1979.
9. *Idem, ibidem*, p. 161.

sociais em todas as instituições. Entretanto, a família contém-nos, gera-os e os realiza em grau extraordinariamente profundo. Por outras palavras, o estudo da família fornece um excelente lugar para se aprender como a sociedade estrutura as determinações de idade e sexo".[10]

A caracterização da família essencialmente pelas vivências emocionais desenvolvidas entre seus membros e pela hierarquia sexual e etária conduz a análise de seu funcionamento a centrar-se no binômio autoridade/amor. As vias pelas quais afeto e poder se relacionam dentro da família permitem-nos comparar os diferentes modelos de família e entender a dinâmica interna da família moderna associada a suas funções de reprodutora ideológica. Continuaremos usando as ideias de Poster na comparação entre tipos de família e no estudo das especificidades da família moderna, ou família nuclear burguesa. Quando usamos o modelo burguês familiar como sinônimo de família atual, assim o fazemos por entender que este padrão de organização originário na burguesia espalhou-se pelas demais classes sociais que, paulatinamente, o adotaram. Isso não significa negar a existência de outras formas de vida familiar nem impor uma padronização absoluta a todas as unidades familiares, mas apenas tomar o modelo familiar que predomina na sociedade em que vivemos e que corresponde aos valores da ideologia dominante. Aliás, a família burguesa, ao se representar não apenas como aquela que é "normal", mas também como a única possibilidade, nada mais faz do que cumprir sua função ideológica.

Poster apresenta quatro modelos de família: a família aristocrática e a família camponesa (dos séculos XVI e XVII), a família proletária e a família burguesa (do século XIX). Demonstra ainda a determinação de suas estruturas emocionais pelas condições sociais em que se inscrevem no contexto histórico. Os tipos familiares propostos não pretendem apresentar como idênticas todas as unidades familiares da classe social a que se referem, mas apenas captar o que há nelas de essencial para o estudo de suas estruturas emocionais, em determinados momentos de sua história.

De início, apresentaremos, de forma breve. os principais caracteres das famílias aristocrata, camponesa e proletária, para posteriormente discutirmos as peculiaridades da família burguesa que,

---

10. *Idem, ibidem*, pp. 161-162.

segundo Poster, nasceu no seio da burguesia europeia em meados do século XVIII. A aristocracia tinha sua riqueza assentada nos favores do monarca e no controle da terra — que era patrimônio a ser conservado e não investido. Sua unidade de habitação era o castelo, que abrigava, além da família. parentes, dependentes, criados e clientes. A linhagem era determinante das relações de parentesco e sua preservação revestia-se de capital importância; por isso, o casamento era antes de tudo um ato político, do qual dependia a manutenção das propriedades familiares.

A habitação aristocrata não favorecia nenhuma forma de privacidade, pois era caracterizada por uma baixa diferenciação funcional de suas peças, pela ausência de corredores, o que provocava um grande trânsito por todos os cômodos e por um mobiliário dotado de multifuncionalidade. As condições sanitárias eram precárias, o que explica em parte o alto nível de mortalidade infantil que acompanhava o alto nível de natalidade.

As relações entre os membros da casa eram rigidamente hierarquizadas e estabelecidas pela tradição. O trabalho masculino restringia-se à guerra, e as funções da mulher eram relativas à organização da vida social no castelo. O lazer era cultivado e o trabalho desvalorizado. A criação dos filhos não era atribuição das mães. Os bebês eram amamentados por amas-de-leite e entregues aos cuidados de criados. O treinamento de hábitos higiênicos era mínimo. Como consequência desses métodos de educação aristocrática, a identificação das crianças não privilegiava as figuras parentais, como seus objetos, mas valorizava a linha da família. Elas estabeleciam seu primeiro vínculo com a ama-de-leite, eram em geral educadas por vários habitantes do castelo e muitas vezes podiam ser enviadas a outras casas nobres para complementar sua educação. O seu aprendizado era dirigido para a obediência à hierarquia social e nesse sentido o castigo físico era o instrumento comumente utilizado. Os aristocratas desenvolviam então um agudo senso das normas sociais externas, mas não um severo superego. O sentimento ligado às transgressões era a vergonha e não a culpa.

A sexualidade aristocrata obedecia a padrões próprios. Seu exercício era reconhecido tanto para os adultos de ambos os sexos, quanto para as crianças. Os aristocratas praticavam muito o sexo entre si e também com a criadagem. As necessidades sexuais das mulheres eram reconhecidas. Há registros de casos de mulheres aristocratas que se tomaram famosas por sua intensa vida erótica, sem que isso provocasse a perda de seus direitos, ou da aceitação social. As concubinas eram publicamente reconhecidas e o sexo não era considerado assunto privado ou secreto. As brincadeiras sexuais das crianças eram aceitas e até estimuladas, em razão do que estas não experimentavam um antagonismo entre o corpo e o mundo social. O corpo não era vivido como objeto de ambivalência sexual. Portanto, a família aristocrata não atribuía valor algum à privacidade, domesticidade, cuidados maternos ou relações íntimas entre pais e filhos.

Embora diferindo da organização da família da aristocracia, a família camponesa apresentava mais traços em comum com esta do que com a família burguesa.[11]

Assim como a família aristocrata, a camponesa se caracterizava por um alto padrão de natalidade, associado a uma também acentuada mortalidade infantil. Apesar de a pequena família nuclear ser a unidade mais comum, este não era o grupo social mais significativo para os seus membros. Era à aldeia que todos estavam integrados por sólidos laços de dependência. A aldeia regulava a vida cotidiana através dos costumes e da tradição: os casamentos, assim como os enterros, davam origem a rituais que envolviam a aldeia toda, ou pelo menos grande parte dela; também o namoro era regido por um conjunto de procedimentos coletivos, pelos quais se providenciava a formação de pares considerados adequados. A família não era o espaço privado ou privilegiado e os laços emocionais se estendiam para fora dela. As crianças aprendiam a depender principalmente da comunidade e não dos pais; desde pequenos participavam de toda rotina da vida da aldeia. Já na infância aprendiam a obedecer às normas sociais, inclusive, com bastante frequência, às custas de punições físicas. Por isso, à semelhança das crianças aristocratas, sua estrutura psíquica era orientada para a vergonha e não para a culpa. "A aprovação das ações era externa, baseada em sanções públicas por toda a comunidade".[12]

À mãe camponesa competia a criação dos filhos, de forma integrada às relações comunitárias. Ela era ajudada por parentes,

---

11. Em função da grande diversidade de condições de vida dos camponeses europeus nos séculos XVI e XVII, Postar limita-se, para estabelecer o modelo de família camponesa, aos que viviam em aldeias.
12. Poster, M., op. cit., p. 206.

por moças mais novas e também por mulheres mais velhas que ensinavam e fiscalizavam as práticas relativas ao tratamento dos bebês. Mas as crianças não ocupavam o centro da vida conjugal. A necessidade da presença da mulher no trabalho do campo fazia com que os filhos não tivessem a mesma atenção que lhes seria dirigida na família burguesa. O enfaixamento dos bebês era comum, pois liberava a mãe para o trabalho. A amamentação era realizada sem envolvimento emocional. Havia pouca preocupação com os hábitos higiênicos e com as atividades sexuais das crianças. Elas se familiarizavam desde cedo com os atos sexuais, pois dormiam várias pessoas em um mesmo quarto, sendo que às vezes os filhos dormiam na mesma cama com os pais.

Em função dessa dependência da aldeia e dos vínculos que assim surgiam, os pais das crianças camponesas não eram os únicos objetos de identificação. Estes eram dispersos por toda a aldeia. Assim como entre a aristocracia. era comum a criança camponesa passar por um período de aprendizagem em casa de outra família.

Enfim, apesar de viver em pequenas unidades nucleares, a família camponesa, tendo toda sua vida voltada para fora de si, também desconhecia e não valorizava a domesticidade e a privacidade.

A família proletária é vista por Poster em três fases que vão da sua constituição até a adoção do modelo familiar burguês. Sua constituição deu-se no período inicial da industrialização (início do século XIX) sob condições de extrema penúria social e econômica. Em geral, todos os membros da família trabalhavam, em jornadas que variavam de 14 a 17 horas. As crianças iam para a fábrica a partir de aproximadamente dez anos de idade. As condições sanitárias em que viviam os trabalhadores eram terríveis, favorecendo o alto índice de mortalidade infantil. Nesse contexto, uma forma de resistir à opressão imposta pelo capitalismo foi a manutenção dos antigos laços comunitários. O proletariado conservou vários dos costumes camponeses, pois foi dentre estes que se deu o recrutamento da maioria dos novos trabalhadores urbanos.

Nessa fase, a vida da família proletária foi caracterizada por formas comunitárias de dependência e apoio mútuo. Os filhos eram criados de maneira informal, sem que fossem objeto de especial atenção e fiscalização por parte dos pais, que não tinham tempo para se dedicar aos filhos. O treinamento dos hábitos higiênicos não causava preocupação, assim como não havia repressão à masturbação infantil. Nessa época, as crianças proletárias conviviam numa ampla rede de relacionamento com adultos, pois na maioria das vezes eram criadas por parentes, vizinhos, ou mesmo soltas pelas ruas dos bairros.

O segundo estágio da família proletária corresponde à segunda metade do século XIX, que coincide com o aparecimento de setores mais qualificados da classe operária e com a ação de alguns filantropos burgueses preocupados com a melhoria das condições de vida de seus empregados.[13] Essa fase, na qual verificou-se uma melhoria das condições de vida operária, é marcada por uma aproximação dos burgueses de diferenciação de papéis sexuais: a mulher passou a ficar mais tempo em casa com os filhos. Os homens estabeleceram a fábrica e o bar como polos de gravitação de sua vida social, enquanto as mulheres passaram a desenvolver uma rede social feminina que integrava mães, filhas e outras parentas.

O terceiro estágio ocorreu já no século XX, com a mudança da família operária para os subúrbios; a partir daí romperam-se os vínculos com a comunidade. A mulher, afastada das redes femininas típicas da fase anterior, ficou isolada no lar e o homem passou a valorizar a domesticidade e a privacidade. Ao mesmo tempo, a educação e o futuro dos filhos passaram a ser prioridade da família. Essas transformações foram acompanhadas de um reforço da autoridade paterna e de um incremento do conservadorismo por parte de toda a família proletária. Um século depois de seu nascimento a família proletária quase não se distinguia mais da família burguesa, em termos de padrões emocionais que caracterizavam as suas relações internas. Isso significa que houve um aburguesamento ideológico da classe operária no que concerne à vida familiar.

A família burguesa, nascida na Europa em meados do século XVIII, rompeu com os modelos familiares vigentes e criou novos padrões de relações familiares. Esses novos padrões, que correspondiam às necessidades da nova classe dominante, já estavam nitidamente estabelecidos no início do século XIX. Eles se caracterizavam antes de tudo pelo fechamento da família em si mesma. Esse isolamento marcou uma clara separação entre a residência e o local de trabalho, ou seja, entre a vida pública e a privada. Para o burguês, o trabalho era o espaço no qual as relações deveriam ser regidas pela frieza e pelo calculismo, qualidades imprescindíveis para se vencer no mundo dos negócios. Sendo o mundo dos negócios o império

---

13. A principal referência usada por Poster é a Inglaterra.

da razão, o lar passou a ser o espaço exclusivo da vida emocional, no qual a mulher passaria sua vida em reclusão. Outras separações se fizeram; a mais notável foi a rigorosa divisão de papéis sexuais. O marido passou a ser o provedor material da casa e a autoridade dominante, considerada racional e capaz de resolver quaisquer situações. Antes de tudo, deveria ser um homem livre e autônomo, conforme o ideal burguês.

A mulher burguesa ficou responsável pela vida doméstica, pela organização da casa e educação dos filhos. Considerada menos capaz e mais emotiva que o homem, tornou-se totalmente dependente do marido. Além de depender dele materialmente, sua identidade pessoal seria determinada pela posição que ele ocupasse no mundo extrafamiliar. Isolando-se da comunidade, perdeu seu apoio, uma vez que as redes femininas deixaram de operar, e ficou totalmente à mercê do marido. Deveria, pois, agora obedecer e servir ao marido para que este obtivesse as melhores condições possíveis para lutar no mundo dos negócios. O sucesso do marido seria o seu também.

A educação dos filhos se constituiu no principal objetivo do casamento burguês e passou a absorver todo o tempo da mãe. O filho deveria ser educado para aquilo que a burguesia estabelecera como ideal: vir a ser um homem autônomo, autodisciplinado, com capacidade para progredir nos negócios e dotado de perfeição moral. Se por um *lado* a mulher era agora valorizada por ser responsável pelo futuro dos filhos, por outro lado essa responsabilidade não deixava de lhe trazer grandes tensões, pois ela seria culpada por qualquer desvio na educação ou mesmo qualquer doença que o prejudicasse. Ela deveria ser uma mãe perfeita para que os filhos também o fossem.

A família burguesa também definiu novos padrões de higiene, que contribuíram para uma progressiva redução da taxa de mortalidade infantil, a qual foi acompanhada por um correspondente decréscimo na taxa de natalidade. Grande importância foi atribuída ao asseio da casa e de seus moradores. O aleitamento materno passou a ser valorizado e cercado de medidas higiênicas, além do grande envolvimento emocional da mãe. Foi abolida a prática do enfaixamento dos bebês, que passaram a receber atenção constante por parte de suas mães. Os hábitos alimentares foram rigorosamente regularizados, assim como as práticas meticulosas de limpeza. O corpo das crianças burguesas primava pelo asseio. Nesse contexto se destacou também o horror aos dejetos humanos, que caracterizou o aprendizado da fase anal. A criança burguesa aprendeu a identificar no seu corpo algo que deveria ser objeto de constante fiscalização e ação de limpeza para que não fosse apenas um "recipiente e produtor de imundícies".[14] O controle dos esfíncteres passou a ser um dos objetivos principais dessa fase de educação burguesa, às vezes desenvolvido precocemente e envolvendo o uso de insólitos procedimentos como, por exemplo, o de amarrar a criança ao urinol.

É claro que a família nuclear burguesa definiu também novos padrões para a sexualidade. Foi no seu seio que a diferenciação dos papéis sexuais foi levada às últimas consequências. Colocou-se em prática, com todo o rigor, a interdição à sexualidade feminina fora do casamento e a restrição ao desfrute do prazer sexual. No casamento a atividade sexual feminina deveria restringir-se à necessidade de procriação. As mulheres burguesas passaram a ser consideradas seres angelicais, acima das necessidades animais do sexo. Dessa forma o casamento burguês passou a caracterizar-se por uma dissociação entre sexualidade e afetividade. A família era o recanto do afeto mas não do prazer sexual. Este passou a ser buscada fora do lar pelos homens, em geral através da conquista de mulheres das classes inferiores.

A repressão à sexualidade infantil ganhou um lugar de destaque na família burguesa. A masturbação horrorizava os pais e provocava vigilância constante. A repressão à masturbação contava com o apoio da opinião médica do século XIX, que a apontava como causadora das mais diversas doenças, desde acnes e tumores até a loucura. São dessa época os relatos de Freud sobre as ameaças de castração feitas pelos pais, que na maioria das vezes não tinham caráter metafórico. Também se encontravam facilmente à venda dispositivos que feriam o pênis ou faziam soar o alarme quando o menino tinha uma ereção. As meninas também não escapavam da ação médica no combate a qualquer manifestação da sexualidade, o que incluía até cirurgias. Assim, vamos encontrar um novo quadro de vida familiar estabelecido pela burguesia. Ele começa a tomar forma com a reclusão da vida familiar, que cria as condições para a total dependência dos filhos em relação aos pais. Por decorrência dessa nova realidade há uma enorme diminuição das possíveis fontes de identificação para a criança. Enquanto a criança aristocrata, a camponesa ou mesmo a operária se defrontavam com uma ampla gama

---

14. Poster, M., *op. cit.*, p. 190.

de possibilidades de identificação, a criança burguesa tinha apenas as figuras parentais, ou acabava tendo na realidade apenas um objeto de identificação — o progenitor do mesmo sexo — em virtude da rigorosa divisão de papéis sexuais que presidia sua vida familiar. É importante lembrar que a criança burguesa do século XIX quase não tinha contato com outras pessoas antes de entrar na escola. Passava, portanto, grande parte da sua infância apenas se contatando com os membros da própria família.

Com o isolamento da família nuclear e a consequente intensificação das relações afetivas entre seus componentes, a criança ficou na total dependência de seus pais para a satisfação de suas necessidades de afeição. Ela aprendia a importância da vida emocional e ficava à mercê dos pais para receber sua cota de afeto. Era função dos pais, principalmente da mãe, suprir essa necessidade dos filhos. Mas esse afeto não era dado incondicionalmente. Ele passou a ser associado às condutas que os pais esperavam do filho. E que condutas eram essas? A primeira exigência que se fazia da criança era a de que ela aprendesse a ter o controle sobre seu próprio corpo. Essa era a aprendizagem básica que caracterizava o estágio anal das crianças burguesas do século XIX. Ela deveria aprender a renunciar ao prazer corporal em troca do afeto dos pais. O controle dos esfíncteres, que era negligenciado em outras classes sociais, passou a ser de muita importância para a família burguesa. Daí a tensão a que estavam submetidos os filhos, principalmente os que não se mostravam eficientes nessa tarefa; eles eram ameaçados de perder o que era essencial: a afeição dos pais. Estava formada pois a cadeia que une amor e autoridade: para ter o amor dos pais, o que era de importância vital para a criança burguesa, seria necessário que ela também os amasse; amá-los seria corresponder às expectativas com as quais os pais a cobriam. Portanto, amar é submeter-se e não amar seria uma alternativa insuportável. O poder parental é travestido de amor para submeter os filhos.

Essa submissão do corpo em troca do amor dos pais continuava a mesma no estágio genital e tornava mais agudas as vivências conflitivas, pois nesse estágio a masturbação era severamente reprimida. Mudava o foco corporal mas continuava vigindo com todo vigor o princípio da educação burguesa: o controle sobre o corpo (ou submissão aos pais) em troca da afeição parental. É nesse estágio que se desenvolve um esforço sistemático para protelar a satisfação sexual.

A situação conflitiva vivida pela criança culminava com o aparecimento em cena da ambivalência e do sentimento de culpa. A negação dos prazeres corporais provoca a cólera dirigida àquele que impede a sua fruição, ou seja, a mãe, mas esta é ao mesmo tempo o seu principal objeto de amor. Torna-se portanto impossível transformar em ação o sentimento de ódio contra a mãe, como também é-lhe insuportável a simples ideia de odiar a pessoa que a ama e a quem tanto ama. Esta situação produz portanto ambivalência e sentimento de culpa e fornece as bases para a formação do superego, como foi descrito por Freud, pela internalização das normas definidas pelos pais no relacionamento com os filhos e que se baseiam numa determinada combinação dos fatores amor e autoridade. "O segredo da estrutura da família burguesa foi que sem intenção consciente de parte dos pais, jogou com os sentimentos intensos de amor e ódio que a criança experimentava por seu corpo e por seus pais, de tal modo que as regras parentais foram internalizadas e cimentadas no inconsciente, com base em ambos os sentimentos, amor e ódio, cada um trabalhando para sustentar e reforçar o outro. O amor (como ideal de ego) e o ódio (como superego) atuaram ambos para promover atitudes de respeitabilidade burguesa. Assim, a família gerou o burguês 'autônomo', um cidadão moderno que não necessitava de sanções ou apoios externos, mas estava automotivado para enfrentar o mundo competitivo, tomar decisões independentes e bater-se pela aquisição do capital".[15] Assim, a família burguesa, definindo-se pelo isolamento, privilegiando a privacidade, a domesticidade e supervalorizando suas relações emocionais internas, ao formar o cidadão autodisciplinado estava servindo para "promover os interesses da nova classe dominante e registrar de um modo sem paralelo os conflitos de idade e sexo".[16]

Poster apresenta-nos a família burguesa como criada por uma nova classe que veio se estabelecer como dominante. Jurandir Freire Costa[17] descreve a transformação da estrutura familiar da classe dominante brasileira do século XIX. Mantendo-se como classe dominante, os senhores coloniais brasileiros passaram a adotar o modelo de família nuclear burguesa em substituição à família colonial

---

15. Idem, ibidem, p. 193.
16. Idem, ibidem, p. 195.
17. Costa, Jurandir Freire, Ordem médica e norma familiar. Rio de Janeiro: Graal, 1979.

extensa, servindo à formação de um Estado nacional. Essa transição foi desencadeada pelo movimento higienista que, respaldado na autoridade médica, produziu uma nova família com padrões internos que muito se assemelhavam à família burguesa europeia: uma rígida hierarquia de idade e de sexo e uma peculiar combinação entre amor e autoridade, que ensinavam aos filhos a renúncia ao prazer corporal em troca da afeição parental e que tem por resultado a ambivalência e o sentimento de culpa.

Até aqui vimos a família, por um lado como instituição que tem por importante função a reprodução da ideologia e por outro, consideramos a dinâmica interna da família burguesa. Como se articulam esses dois universos? Para responder a esta interrogação é necessário recorrer à noção de papel social.

Não há consenso na literatura sociológica quanto à definição de *papel*. O uso do termo *papel social* é tomado por referência a J. L. Moreno, que divide os papéis em três categorias: os psicossomáticos, os sociais e os psicodramáticos.[18]

T. Salem[19] denomina apenas *papel* o que é aqui designado como *papel social* e expõe sua definição de forma precisa: "O conceito de papel engloba dois aspectos analítica e empiricamente distintos. Refere-se, de um lado, às expectativas de desempenho que recaem sobre um ator pelo fato de ocupar uma determinada posição social. Essas expectativas, que cristalizam tipificações de padrões interacionais, são veiculadas por outros atores que, em virtude da relação particular que mantêm com o ator em questão, se configuram em "outros significativos" para ele. É exatamente essa qualidade que converte suas emissões em demandas legítimas e significativas para o ocupante daquela posição. Por outro lado, o conceito de papel se refere também ao desempenho efetivo levado a cabo por um ator no

---

18. Os papéis psicossomáticos correspondem às funções biológicas da espécie na satisfação das necessidades vitais, como comer, defecar, urinar; os sociais correspondem aos padrões de conduta culturalmente produzidos e reproduzidos e os psicodramáticos compreendem os papéis das categorias anteriores sempre que revitalizados através do uso da imaginação criadora. Ver Moreno, J. L. "Teoria y practica de los roles", *in:* Moreno, J. L., *Psicodrama*, Seção V, Buenos Aires: Ed. Hormé, 1972, pp. 213-241.
19. Salem, Tania. *O velho e o novo – um estudo de papéis e conflitos familiares,* Petrópolis, Vozes, 1980.

exercício de sua função. A ideia de comportamento, conforme é aqui entendida, engloba não apenas a prática expressiva do ator, isto é, os dados observáveis de seu comportamento, como também as suas representações, ou seja, a maneira particular como retrata e explica suas práticas segundo sua própria lógica".[20] Alguns aspectos merecem ser destacados: os papéis têm sempre um caráter interacional, isto é, seu desempenho exige um contrapapel que o complemente ao mesmo tempo que significam também cristalizações de padrões de conduta. Além disso, os papéis sociais são engendrados pelas relações sociais e inseridos numa rede de significações. Por isso, não podem ser separados da ideologia dominante. Pode-se dizer que os papéis sociais, ao prescreverem formas rígidas de conduta como as únicas alternativas possíveis para um sujeito numa dada situação, são a própria ideologia corporificada.

Se o papel social e a ideologia mantêm uma certa identidade, é na família, local privilegiado de reprodução ideológica, que se desenvolve o aprendizado do primeiro papel social: o de filho. Na família burguesa esse papel é desenvolvido a partir da submissão aos pais, definida pelo exercício do controle sobre o próprio corpo em troca do afeto parental. Essa estrutura relacional solidifica as bases para o pleno desenvolvimento do papel de filho, prescrito pela ideologia vigente. A submissão inicial se transforma em aceitação dos valores dos pais e é apresentada como natural e necessária. No que consiste hoje, por exemplo, o papel de filho numa família pequeno-burguesa? Inicialmente ele *deve* obedecer aos pais, aprendendo a controlar os esfíncteres, os impulsos sexuais e manter-se limpo. Quando ingressa no mundo extrafamiliar espera-se que represente bem sua família sendo bom aluno na escola — aprendendo as lições escolares e transferindo aos professores a relação de obediência aprendida com os pais — e que seja modelo de bom comportamento em todas as situações, evitando preocupar os pais. Obediência aos pais significa, assim, aceitação de normas que já estavam definidas quando ele nasceu; aceitação sem questionamento, isto é, submissão. Tudo isso em troca do afeto dos pais. O que o papel esconde é que ele é constituído a partir das relações sociais, determinadas pela divisão social do trabalho e pela dominação de classe. A família que circunscreve esse papel, produto histórico, aparece como algo

---

20 Salem. Tania, *op. cit.*, pp. 25-26.

"natural", de tal forma que os papéis sociais familiares aparecem também como "naturais", ou seja, como invariáveis e independentes das relações sociais de classes. Isto é a pura ideologia atuando. Já vimos como o Estado determina os papéis sociais em função de seus interesses. Quando não pode fazer isso através de leis, usa dispositivos que, insinuando-se no tecido social onde devem atuar, vão criar normas para as condutas dos diferentes membros da família. E o papel social familiar não apenas outorga essas normas, como esconde o processo de sua constituição histórica.

O ponto culminante do aprendizado do papel social de filho situa-se na triangulação edipiana na qual o sujeito aprende a interdição básica que lhe é imposta e reconhece a autoridade paterna, introjetando-a. A forma como os pais desempenham seus papéis nessa fase é de grande importância para o estabelecimento do superego da criança e para a formação do papel de filho que será o suporte para o desenvolvimento de outros papéis sociais. Não se deve esquecer que também a ação dos pais é regida pela ideologia, que prescreve as formas de ação parental tanto no que se refere aos cuidados físicos dos filhos quanto aos aspectos da vida emocional.

Portanto, a família nuclear burguesa inserida nas relações sociais mais amplas vai modelar o desenvolvimento dos papéis sociais de seus membros em função de determinações que a transcendem, de forma que "os papéis sociais, na sua estrutura e dinâmicas próprias nada mais fazem do que repetir e concretizar, num âmbito microssociológico, a estrutura de contradição e oposição básica que se realiza num âmbito maior entre papéis históricos, constituída pela relação dominador-dominado".[21] Quando a família burguesa leva suas funções às últimas consequências, ensinando a submissão desde o início da vida, faz com que essa estrutura relacional se transfira para os outros papéis sociais, que terão no papel de filho o seu molde. Ao formar o indivíduo obediente e autodisciplinado, com iniciativa apenas para bater-se pelos ideais da ascensão social e econômica, a família está preparando o cidadão passivo, acrítico, conservador, sem espontaneidade e incapaz de criar, repetidor de fórmulas veiculadas pela ideologia dominante, pronto a seguir e

---

21. **Naffah Neto, Alfredo,** *Psicodrama – Descolonizando o imaginário,* São Paulo: Brasiliense, 1979, p. 193.

obedecer quem se apresente revestido de autoridade em defesa da ordem estabelecida.

Se a família nuclear burguesa hoje corresponde ao padrão dominante de estrutura familiar, difundido entre outras classes sociais, uma importante questão a ser colocada refere-se à amplitude com que outras classes foram impregnadas pelos padrões familiares burgueses. Ou, até mesmo, em que nível a família burguesa mantém atualmente os padrões que a definiram no século XIX.

Novos e importantes elementos têm aparecido constantemente no panorama social, e a família não fica imune a essas influências. Hoje pode-se perguntar, por exemplo, qual é a consequência, para a vida familiar, do ingresso maciço das mulheres na universidade e no mercado de trabalho. Onde isto ocorreu, a mulher se livrou da clausura doméstica. Pode-se pensar então que ela se livrou também da dominação masculina? Há denúncias de que o simples ingresso no campo do trabalho extradoméstico veio piorar ainda mais suas condições de vida, pois ela continua sozinha nas obrigações do trabalho doméstico, tendo agora duas jornadas de trabalho, principalmente quando não tem condições de manter uma empregada doméstica. Poder-se-ia também questionar sobre as implicações dessa nova situação para a educação dos filhos, que deixaram de ter a intensa interação com a mãe, típica do início da família burguesa.

Outro fato importante da vida contemporânea é a presença da televisão na grande maioria dos lares. Essa presença provoca um rompimento das distâncias culturais e oferece o risco da padronização dos valores e costumes, esmagando as culturas periféricas. Pode-se pensar, a partir dessa realidade, que os padrões familiares caminham para uma progressiva padronização, abolindo as formas particulares que caracterizam grupos de diferentes regiões ou segmentos sociais? E as crianças estarão menos subordinadas aos pais por estarem, em idade precoce, em contato com um repertório de informações que não seriam acessíveis às crianças de gerações anteriores?

Os movimentos feministas também têm tido importante atuação no sentido de despertar as consciências para a necessidade da transformação das condições de vida da mulher, principalmente entre as classes médias urbanas e em setores do operariado.

Estas questões todas não podem ser respondidas de uma só vez, dado sua abrangência. No entanto, é possível abordar algumas delas, situando-as no conjunto. Uma dessas possibilidades refere-se à tentativa de entender os atuais padrões familiares. Nesse sentido podemos constatar que a família nuclear burguesa continua predominando, apesar de algumas modificações e adaptações. Embora seja frequentemente contestada e ainda que sejam feitas tentativas para viabilizar novas formas de organização familiar que superem a dominação e a repressão, a estrutura familiar que associa amor e autoridade ainda prevalece, com alguns outros traços típicos da família burguesa original, como a rígida divisão dos papéis sexuais e a repressão à sexualidade. No entanto, isso não significa que essa família esteja navegando em mares calmos, como no passado. Embora mantendo-se, traz agora gritantes conflitos instalados em seu interior, que, em geral, são desencadeados pelas gerações mais novas. Nesse sentido, são as classes médias que apresentam com mais ênfase os padrões familiares burgueses e, ao mesmo tempo, exprimem mais claramente a existência desses conflitos. Elas demonstram de forma mais evidente a força da ideologia veiculada pela família, pois as novas realidades são vividas como experiências bastante conflitivas e angustiantes ao oporem a necessidade de adotar novas condutas aos valores inculcados pela família, num doloroso processo que reativa o princípio da educação burguesa que associa amor e autoridade. Por isso, é comum o sentimento de culpa apresentar-se como entrave maior do que a própria ação direta dos pais, no processo de transformação dos valores. Uma das principais armas do conservadorismo na luta pela manutenção dos padrões tradicionais ainda é a educação desenvolvida segundo os moldes da família burguesa. Em trabalho anterior,[22] estudamos as representações de família de participantes de um grupo de psicoterapia psicodramática, bem como as irradiações para outros papéis das características dos papéis familiares. Em grande parte nossas observações são coincidentes ou complementares às elaboradas por T. Salém em trabalho desenvolvido com outra metodologia.[23] Os dois grupos estudados pertencem à classe média. Neles havia representantes de diferentes segmentos, desde funcionários públicos até diretores de empresas.

---

22. Reis, José Roberto Tozoni, *A família e a reprodução da ideologia – Um estudo através do psicodrama,* Dissertação de Mestrado, PUC: São Paulo, l983.
23. A autora entrevistou separadamente os membros das famílias estudadas e comparou posteriormente as respostas. As entrevistas tinham como temas diferentes aspectos da vida familiar.

Um dos pontos colocados em destaque por esses estudos é a autorrepresentação da família. que se contradiz com as vivências concretas de seus membros. Quando se referem ao conceito de família, predomina a ideia de harmonia e de disponibilidade incondicional de amor e proteção entre seus membros. Quando se fala das relações concretas, faz-se referência a conflitos, dominação, sensação de sufoco e opressão. Isso provoca o que chamamos de tendência à dissimulação: toda vez que algum acontecimento é percebido como passível de colocar em risco a noção idealizada de família, tudo é feito para que ele não seja percebido. Em casos mais extremos os filhos reprimem qualquer sentimento de hostilidade dirigido aos pais ou irmãos. Tudo aquilo que difere da ideia que a família faz de si mesma deve ser negado.

A prevalência da rígida divisão de papéis sexuais faz com que a família contemporânea se assemelhe bastante à sua ancestral. Várias características dos papéis de homem e mulher permaneceram imutáveis. Os homens vivem do e para o trabalho, e sem ele a vida não tem sentido. Por isso temem a aposentadoria pois ela é associada à morte. Para eles não há a possibilidade de vida sem os seus trabalhos.[24] A função principal das mulheres, como as suas antecessoras, continua sendo a educação dos filhos. Algumas trabalham fora. Umas o fazem por necessidade econômica, mas o fato de ajudarem na manutenção material da família não as libera das obrigações domésticas. Para outras, o trabalho foi uma forma de combater o vazio e a depressão causados pelo crescimento dos filhos. Não tendo mais sua função primordial para desenvolver, foi necessário buscar fora de casa outra ocupação para não sucumbir. Em vários casos, os filhos e maridos eram os motivos pelos quais a mulher começava a trabalhar: ficar em casa poderia provocar vazio ou tédio e com isso desagradar filhos e marido.

Em ambos os trabalhos citados, os homens caracterizam-se por um sentimento de autorrealização e autonomia, acreditando-se livres e autores dos roteiros de suas respectivas vidas. Esse senti-

---

24. É impressionante a coincidência do significado atribuído ao trabalho em duas situações bem diferentes: no trabalho citado de T. Salem, quando foram entrevistados todos os pais, e nas sessões de psicodrama que estudamos, quando os filhos dramatizavam os papéis de seus respectivos pais.

mento era mais acentuado naqueles que haviam experimentado uma ascensão econômico-social em relação a suas famílias de origem. Ao mesmo tempo relatam sentimentos de solidão e dificuldades para ter amigos. Quando os pais sentiam que haviam deixado de ter um benefício pelas dificuldades da vida passada, faziam o possível para que isso não faltasse a seus filhos. Isso fica muito claro em relação ao diploma universitário. Aqueles pais que não o possuíam e por isso valorizavam mais as atividades "práticas" eram os mais empenhados em que os filhos o obtivessem. O diploma universitário, além de ser considerado um instrumento que facilita o acesso a uma melhor vida material, é também considerado como uma marca de distinção social.

Já as mulheres definem-se pela dedicação ao marido e aos filhos; o objetivo principal de sua vida está nos outros, e por isso se *veem* com menos autonomia. Sua atuação caracteriza-se pelos aspectos emocionais, ao contrário dos maridos. Essas diferenças se apresentam em relação de complementaridade até mesmo no exercício do controle sobre os filhos. Enquanto o pai usa explicitamente sua autoridade, a mãe lança mão de formas indiretas, como a sedução e a chantagem emocional.[25] Essas características femininas mantêm-se mesmo nos casos em que a mulher é tão responsável quanto o homem pela manutenção material da família, isto é, quando tem ganhos equivalentes aos do marido.

A família atua no sentido do aprendizado diferenciado dos papéis sexuais ao tratar diferentemente filhos e filhas. Enquanto os filhos são estimulados a serem independentes (sem contudo romper com os valores da geração mais velha), as filhas são resguardadas e os pais desenvolvem um esforço sistemático para retê-las no universo familiar. A vida profissional e sua preparação (os estudos) constituem a principal preocupação e objeto da vigilância dos pais em relação aos filhos, enquanto que para as filhas a principal preocupação refere-se à vida afetivo-sexual. Se a formação universitária é tida como necessária para os filhos, para as filhas tem o sentido de proporcionar *status* ao pai ou ao marido. Para elas, o diploma deve ser usado, como exercício profissional, apenas em caso de necessidade.

---

25. No grupo que estudamos, um dos sujeitos relatou que quando os irmãos começavam alguma briga, a mãe "ficava nervosa" ou ameaçava desmaiar e assim acabava com qualquer briga.

Os filhos reproduzem a autoimagem do progenitor do mesmo sexo: enquanto os filhos sentem-se livres e donos de seus próprios destinos, as filhas sentem a vida determinada por outros e limitada pela família. Para os filhos a opção profissional é sentida como exercício da liberdade e da autonomia, para as filhas a escolha profissional se caracteriza por sentimentos de insegurança.

A sexualidade continua ocupando papel destacado na família contemporânea. Ainda é vista como algo a ser controlado, principalmente por parte das mulheres. A virgindade das filhas constitui grande preocupação para os pais. Em todos os casos de pacientes de psicoterapia que estudamos, a sexualidade se constituía em núcleo de conflito. Existem, em geral, duas referências a ela: uma à sexualidade genericamente referida, a sexualidade abstrata, que é apresentada como algo natural e prazeroso; outra à vivência concreta de cada um: nela a sexualidade é causadora de sentimento de culpa e de angústia. Essa percepção da sexualidade foi desenvolvida no seio da família, embora de forma sutil. Todos aprenderam a ver o sexo como errado e pecaminoso, embora não se lembrassem de qualquer condenação das atividades sexuais falada abertamente. Há uma nova realidade em relação à família burguesa original, que às vezes faz da sexualidade um fator de mudança familiar. Com a liberalização dos costumes sexuais tem aumentado progressivamente as possibilidades de transgressão dos padrões sexuais restritivos. No caso da perda da virgindade feminina, há sempre um choque e a instalação de uma crise familiar, a partir do momento em que o fato se torna conhecido. Essa situação pode provocar diferentes desfechos que vão desde a marginalização e expulsão da filha transgressora (o que se torna cada vez mais incomum), até a uma adaptação da família à nova situação. Neste caso, a família acaba por reformular o padrão que associa virgindade e possibilidade de casamento.

Outro ponto crítico do relacionamento entre pais e filhos é a ligação destes com membros de fora do grupo familiar. As amizades são objeto de constante vigilância e muitas vezes elas são responsabilizadas pelas condutas reprováveis dos filhos. Isto se dá principalmente porque os grupos de pares que se formam a partir da adolescência são bases de apoio para a oposição dos filhos aos pais. Esses grupos providenciam importantes trocas afetivas entre seus componentes e por isso podem substituir (pelo menos parcialmente) o grupo familiar. Na realidade eles permitem que os filhos se sintam mais independentes da família, à medida que esta deixa de ser a única fonte de afeto. Não dependendo mais exclusivamente da família, como em geral ocorre durante a infância, os filhos já podem questionar os valores que a família lhes impõe.[26]

Nos processos de psicoterapia, a família é o núcleo da grande maioria das queixas. Em geral a família é percebida pelo viés da ideologia. As posições ocupadas por seus membros no conjunto das relações familiares são tidas como fixas e, portanto, imutáveis. Os filhos, na sua maioria, sentem-se impotentes diante de tal situação, ao mesmo tempo que se sentem como vítimas do poder paterno que as oprime. Assim fazendo, não percebem o quanto também contribuem para a manutenção de tal realidade ao complementar o papel materno com o de filho submisso, imobilizado pelo sentimento de culpa. Os sujeitos tinham dificuldade para perceber a real função da mãe no controle sobre os filhos, pois atribuíam a ela a simples condição de vítima do poder paterno. De fato, na maioria dos casos, as mães também são vítimas do pai. Mas, ao mesmo tempo, elas ajudam a exercer o controle sobre os filhos. Para essa finalidade, podem ter até mesmo um papel mais importante que o do pai, pois usam de meios mais sutis.[27]

Assim, podemos concluir que certas características fundamentais da família burguesa típica do século XIX, que criou novos padrões para a vida familiar, adequados às necessidades da nova classe dominante, continuam presentes nas famílias contemporâneas. Entretanto, essa presença se dá parcialmente, porque hoje são outras as condições históricas. O modo de produção econômico correspondente aos interesses burgueses parece debater-se com dificuldades cada vez maiores para sua sobrevivência. A estrutura familiar burguesa, assim como o modo de vida que a originou, é assediada

---

26. Uma das pacientes do grupo estudado revelou que sua solidão e sua dificuldade para estabelecer relacionamentos afetivos estáveis foram aprendidas na infância: os pais lhe ensinaram que apenas membros da família poderiam se gostar e que "estranhos" apenas teriam interesse por ela. Isso ocorreu quando ela ingressou no jardim da infância e contou em casa que gostava muito da professora e se sentia gostada por ela.
27. Um estudo de Naffah Neto (O drama da família pequeno-burguesa", in Naffah Neto, A. *Psicodramatizar*. São Paulo: Ed. Ágora, 1980) evidencia a existência de um poder reservado para a mãe no espaço doméstico, correspondente ao de "chefe" ideológico da família.

por todos os lados, inclusive internamente. Algumas mudanças já se processaram e outras se fazem pressentir. Mas ainda continua vigindo a rígida hierarquia de sexo e de idade, assim como a associação entre amor e autoridade. Ambos, atuando associadamente, ainda produzem sofrimento e angústia, ao mesmo tempo que fornecem as bases para o adestramento ideológico. Embora reconhecendo as determinações econômicas da estrutura familiar, não podemos esperar que as transformações econômicas produzam, por si mesmas e de forma automática, as mudanças na vida familiar em direção a uma família mais tolerante e promotora do bem-estar emocional de seus membros. No entanto, constatamos também a ocorrência de algumas transformações na família dentro de um mesmo modo de produção econômico, como é o caso da família burguesa.

Mas sabemos também que uma estrutura familiar predominante, que promova incondicionalmente o bem-estar de seus membros, apenas será possível quando ela não mais se definir por um fechamento e uma oposição ao mundo extrafamiliar, ou seja, quando voltar a integrar seus membros na comunidade que a circunscreve, o que não significa voltar a modelos historicamente superados. E isso apenas será possível quando a competição deixar de ser o motor do relacionamento entre os homens.

Bibliografia

Almeida, Maria Suely Kofes *et alii*, *Colcha de retalhos: estudos sobre a família no Brasil*, São Paulo: Brasiliense, 1982.
Althusser, Louis, *Ideologia e aparelhos ideológicos do Estado*, trad. Joaquim José de Moura Ramos, Portugal: Presença/Brasil: Martins Fontes, 1974.
Canevacci, Massimo (org.), *Dialética da família*, trad. Carlos Nelson Coutinho. São Paulo: Brasiliense, 1982.
Costa, J. F., *Ordem médica e norma familiar,* Rio de Janeiro: Ed. Graal, 1979. ("Biblioteca de filosofia e história das ciências", vol. nº 5.)
Engels, F., *A origem da família, da propriedade privada e do Estado*, Rio de Janeiro: Vitória, 1964.

Marcuse, H., *Eras e civilização: uma interpretação filosófica do pensamento de Freud*, trad. Álvaro Cabral, Rio de Janeiro: Zahar, 1972.

Marx, K. e Engels, F., *La ideologia alemana*, Trad. do alemão por Wenceslao Roces, 4ª ed., Buenos Aires: Ed. Pueblos Unidos, 1973.

Moreno, J. L., *Psicodrama*, trad. Daniel Ricardo Wagner, 2ª ed., Buenos Aires: Ed. Hormé, 1972.

Naffah Neto, Alfredo, *Psicodrama: descolonizando o imaginário*, São Paulo: Brasiliense. 1979.

———, *Psicodramatizar*, São Paulo: Ed. Ágora, 1980.

Poster, M., *Teoria crítica da família*, trad. Álvaro Cabral, Rio de Janeiro: Zahar, 1979.

Reis, José Roberto Tozoni, *A família e a reprodução da ideologia — um estudo através do psicodrama*, Dissertação de Mestrado, PUC, São Paulo: 1983.

Salem, Tania, *O velho e o novo – um estudo de papéis e conflitos familiares*, Vozes: Petrópolis, 1980.

O processo de socialização na escola: a evolução da condição social da criança

Marília Gouvea de Miranda

O processo de socialização da criança na escola tem merecido dos pedagogos e psicólogos variados estudos explicativos e normativos. Contudo, os diferentes enfoques teóricos e metodológicos são construídos tomando por base determinadas concepções raramente questionadas ou redefinidas: a ideia de infância, a finalidade da escola, as relações entre criança, escola e sociedade e o próprio processo de socialização.

A ausência de análise crítica destas questões confere a esta abordagem uma visão abstrata de criança e escola. A idealização de uma "natureza infantil" e de uma função socializadora da educação, destituída de seu caráter histórico e socialmente determinado, reduz a teoria a uma finalidade pragmática e profundamente ideológica: promover a integração de uma criança abstrata a uma sociedade harmônica, via processo de escolarização, essencialmente neutro.

Em vista disto, nos propomos a discutir a socialização na escola, a partir da avaliação das concepções que dão suporte teórico e ideológico às abordagens não críticas, psicológicas e pedagógicas, sem pretensões de esgotar a questão. Nosso pressuposto é que a redefinição do processo de socialização passa pela análise da produção destas ideias básicas, ou seja, a retomada dos determinantes históricos e sociais da concepção de criança e escola.

A ideia de infância:
a condição social de ser criança

A ideia de infância, tal qual a concebemos hoje, surge simultaneamente ao sentimento de família e ao desenvolvimento da educação escolar. Certamente não se trata de uma coincidência. Tais transformações resultaram da organização das relações sociais de produção da sociedade industrial. Na Idade Média e no início dos tempos modernos, os filhos eram, evidentemente, cuidados e protegidos por seus pais, no seio de uma organização familiar. Mas a existência de família não implicava um sentimento de família que unisse emocionalmente seus membros em núcleos isolados, o que iria se desenvolver lentamente a partir do século XVII, em torno do sentimento de infância (Ariès, 1981).

Anteriormente à sociedade industrial, a duração da infância se limitava à tenra idade em que ela necessitava dos cuidados físicos para a sua sobrevivência. Logo que este desenvolvimento físico fosse assegurado (aproximadamente aos sete anos, segundo Ariès), a criança passava a conviver diretamente com os adultos, compartilhando do trabalho e dos jogos, em todos os momentos. A aprendizagem de valores e costumes se dava a partir do contato com os adultos: a criança aprendia ajudando aos mais velhos. Logo, a socialização acontecia no convívio com a sociedade, não sendo determinada ou controlada pela unidade familiar. Nesta forma coletiva de vida se misturavam idades e condições sociais distintas, não havendo lugar para a intimidade e a privacidade.

A família moderna, que se estabeleceu na burguesia a partir do século XVIII, veio instalar a intimidade, a vida privada, o sentimento de união afetiva entre o casal e entre pais e filhos. Sua consolidação aconteceu graças à destruição das formas comunitárias tradicionais, reorganizando-se em função das necessidades da ordem capitalista.

Segundo Ariès, a aprendizagem social vai deixando de se realizar através do convívio direto com os adultos, sendo substituída pela educação escolar, a partir do fim do século XVII. Sob a influência dos reformadores moralistas, paulatinamente se admitia que a criança não era preparada para a vida, cabendo aos pais a responsabilidade pela formação moral e espiritual dos filhos, o que levou ao aparecimento de sentimentos novos nas relações entre os membros familiares: o sentimento moderno de família. Os pais passaram a enviar seus filhos à escola, onde receberiam a sólida formação proclamada pelo pensamento moralista da época. Assim, segundo esse mesmo autor, "a família e a escola retiraram juntas a criança da sociedade dos adultos" (1981, p. 277).

É importante salientar que tais transformações ocorreram em primeiro lugar nas famílias burguesas, sendo que a alta nobreza e o povo conservaram por mais tempo os antigos padrões. Ariès observa que o sentimento de família e de infância surgem do mesmo processo pelo qual se desenvolveu o sentimento de classe social da burguesia ascendente. No século XVII, por exemplo, as crianças ricas costumavam frequentar as escolas de caridade. No século XVIII, tal fato já não era admitido, passando os filhos da burguesia a frequentar os colégios, garantindo o seu monopólio.

As considerações destes fatos históricos nos permitem compreender como a ideia moderna de infância foi determinada socialmente pela organização social capitalista, definida pelos interesses de uma classe ascendente: a burguesia. Contudo, a ideia de infância que se desenvolveu e chegou até nossos tempos não exprime seu fundamento histórico. Ao contrário, suprime-o ao se apresentar como se fosse um conceito eterno, universal e natural. Em consequência, é dissimulada a dimensão social da relação da criança com o adulto e a sociedade.

Assim, a criança, que na sociedade medieval convivia com os adultos em todos os momentos, é afastada deste convívio. Com isto, perdeu a possibilidade de opinar sobre decisões que lhe diziam respeito, foi excluída do processo de produção, as festas e jogos foram diferenciados, restando à criança a condição de mera consumidora de bens e ideias produzidos exclusivamente pelos adultos. Torna-se, então, um ser cuja condição social é rejeitada, pois é marginalizada econômica, social e politicamente (Charlot, 1971, p. 111).

Charlot analisa a imagem moderna da criança como um ser usualmente definido pelo que tem de contraditório: inocente e má, imperfeita e perfeita, dependente e independente, herdeira e inovadora (*idem*, p. 101). Esta dupla face da criança é explicada pela sua própria natureza infantil. A criança estaria desprovida de meios para enfrentar o mundo, por isso é naturalmente inocente e naturalmente má. A ideia de infância como fato natural — e não social — justifica todas as concepções comuns sobre a criança e tem a função ideológica de dissimular a sua desigualdade social, enquanto ser à margem do processo de produção.

Apesar de a ideia de infância ser uma representação dos adultos e da sociedade, a criança tende a internalizar este modelo e acaba por torná-lo sua realidade, em parte se identificando e, em parte se rebelando contra os preceitos naturais que negam sua condição social. Enquanto a assimilação da imagem corresponde às aspirações do adulto e da sociedade, a rebeldia corresponde ao temor da não-assimilação, que é preciso a todo custo evitar. Para Charlot, "a criança é, assim, o reflexo do que o adulto e a sociedade querem que ela seja e temem que ela se torne" (*idem*, p. 109). Tanto a assimilação do modelo quanto a sua recusa são plenamente justificadas pela ideia de natureza infantil. Ideologicamente, fica legitimada a necessidade de se auxiliar a criança no seu processo de assimilação das normas e penalizar aquelas que as recusam, em nome de uma condição natural na criança.

A ênfase à natureza infantil encontra seu fundamento, segundo muitos autores e mesmo a nível do senso comum, no processo biológico de desenvolvimento da criança. Sem dúvida, ela é um ser em formação biológica, ainda não plenamente constituída do ponto de vista maturacional. Contudo, o desenvolvimento biológico não corresponde a toda realidade da criança. Mesmo porque o aspecto biológico se caracteriza como um componente do desenvolvimento que sofre as determinações da condição social do indivíduo. Na verdade, o que caracteriza o homem é sua condição de ser social, o que é em parte determinado pela sua condição biológica, mas não inteiramente.

Independentemente de sua origem social, a criança passa por um processo de maturação biológica, em que seu desenvolvimento depende da mediação do adulto. Contudo, esta mediação se fará de diferentes maneiras (às vezes, opostas) dependendo da condição social da criança. Na sociedade capitalista, definida pelas relações estabelecidas entre classes sociais antagônicas, a origem da criança determina uma condição específica de infância. Não existe, portanto, uma natureza infantil, mas uma condição de ser criança, socialmente determinada por fatores que vão do biológico ao social, produzindo uma realidade concreta. Assim, a dependência da criança é um fato social e não um fato natural.

Esta distinção entre natureza e condição infantil esclarece o uso ideológico da ideia de natureza infantil para a dissimulação das diferentes condições a que são submetidas as crianças em função de sua origem de classe. Falar do que é natural na criança supõe a igualdade de todas as crianças, a idealização de uma criança abstrata.

Pelo contrário, falar da condição de criança remete à consideração de uma criança concreta, socialmente determinada em um contexto de classes sociais antagônicas.

A representação de infância subjacente às concepções pedagógicas e psicológicas tende a reproduzir a imagem social de infância de sua época, evoluindo historicamente.

Na educação podemos distinguir duas concepções distintas de criança na pedagogia tradicional e na pedagogia nova. Ambas conservam a ideia de natureza infantil. Segundo Charlot, todas as duas abordam a criança do ponto de vista de sua "educabilidade e sua corruptibilidade", ainda que esta ideia de corrupção seja completamente diferente *(idem,* p. 116).

Para a Pedagogia tradicional, a ideia de criança é a ideia do que ela deverá ser se for adequadamente educada. Quando relegada à sua própria sorte é facilmente corrompida pelo mal. Cabe à educação ensinar normas e conteúdos moralmente sadios que contrariem sua natureza selvagem. Já a pedagogia nova vê a criança como um ser pleno para a autorrealização em cada etapa de desenvolvimento. É, portanto, naturalmente boa e ingênua, podendo ser corrompida se não for protegida e respeitada. A tarefa da educação é favorecer seu desenvolvimento natural e espontâneo. Nas duas pedagogias, a criança é, portanto, definida como um tempo negativo (pedagogia tradicional) ou tempo positivo (pedagogia nova) de uma natureza infantil. Ainda que seja inegável a contribuição da pedagogia nova para uma visão mais adequada da criança, ela não escapa de uma visão naturalista e biológica da infância, desconsiderando a condição histórico-social da criança.

A psicologia moderna se desenvolve no mesmo período em que ganha força o movimento da escola nova, a partir do fim do século XIX, em plena consolidação do poder burguês. A crença na educação como equalizadora de oportunidades é abalada pela incapacidade da escola de cumprir sua função de universalidade, conforme era proclamado pela ideologia liberal. O movimento escolanovista vem restaurar a credibilidade na escola, afirmando que o fracasso de seus alunos se deve às diferenças individuais. A função da nova escola será promover a "correção da marginalidade na medida em que contribuir para a constituição de uma sociedade cujos membros, não importam as diferenças de quaisquer tipos, se aceitem mutuamente e se respeitem na sua individualidade específica" (Saviani, 1983, p. 12). A ênfase na capacidade individual, na história dos indivíduos, no processo de desenvolvimento, na ideia de anormalidade, faz com que a pedagogia vá buscar suporte teórico na biologia e na psicologia. A psicologia, por sua vez, sob forte inspiração positivista, reduz a realidade social do homem ao seu componente psíquico. Assim, a psicologia moderna, que vem ao auxilio da pedagogia nova será, portanto, igualmente individualista, naturalista e biológica.

Socialização não é integração: a criança já é sempre socializada

A pedagogia e a psicologia têm, quase sempre, tratado o processo de socialização como um estágio de integração da criança à sociedade. Vimos que tanto a pedagogia tradicional quanto a pedagogia nova se preocuparam em fazer da escola uma passagem do mundo infantil para o mundo adulto, levando em conta o que a sociedade espera de seus membros em defesa da manutenção de seus interesses.

Na sociedade medieval, a ideia de integração não teria sentido algum, uma vez que o espaço social era igualmente compartilhado por crianças e adultos. Como vimos, a necessidade de integração surgiu com a exclusão das crianças do mundo dos adultos. A instituição encarregada de iniciar a criança egressa do meio familiar na vida social adulta passou a ser a escola.

Na atualidade, a escola continua propondo a integração social — a socialização — como uma de suas principais finalidades. Tal finalidade atua como dissimuladora da realidade social, pois, ainda que marginalizada na estrutura social moderna, a criança sofre continuamente um processo de socialização — desde o seu nascimento, até mesmo antes, no útero ou na própria história de sua mãe. Portanto, como afirma Charlot, "a criança é um ser sempre já socializado" (1979, p. 259). Não se pode supor, como a psicologia quase sempre o faz, um desenvolvimento social individual que depois se amplia, se integra, ao mundo social adulto. Desde sempre a criança já sofre um processo de socialização através do qual a sua origem social de classe determina sua condição de ser social. A formação de sua personalidade social não passa primeiro por um estágio individual para depois se socializar. Ainda que assuma os contornos de suas características específicas, ela é sempre socializada. Afirmar o contrário é acreditar numa capacidade própria do indivíduo — natural — para a socialização. A marginalidade social seria, então, facilmente explicada pela incapacidade de adaptação do indivíduo às normas sociais. Fica, assim, plenamente justificada a finalidade ideológica da escola de promover a adaptação do indivíduo à sociedade. A escola é uma agência socializadora de uma sociedade que se afirma democrática. Se o processo de socialização-integração não é possível, preserva-se a escola e a ordem democrática, pois a responsabilidade será sempre do indivíduo inadaptado.

Afastada a ideia de socialização enquanto integração, podemos recuperar a ideia de socialização evolutiva, proposta por Charlot. Para ele, a socialização deve ser tratada como um processo evolutivo da condição social da criança. Assim, o problema não é investigar como a criança se socializa, mas "como a sociedade socializa a criança" (*idem*, p. 259).

A psicologia tem quase sempre tentado explicar como a criança se socializa, abordando o processo pelo qual ela se transforma em ser social. A psicologia não supera, portanto, o antagonismo entre indivíduo e sociedade. Não tem por objetivo uma análise dialética das relações entre a criança e a sociedade, numa perspectiva de totalidade e historicidade.

A psicologia estuda a socialização de uma criança que vive em condições sociais específicas e normatiza suas conclusões para todas as crianças. É certo que todas as crianças vivem um período de crescimento, de desenvolvimento da personalidade num mundo social adulto que ainda não é inteiramente assimilado, em qualquer meio social. Mas este processo de desenvolvimento será diferente de acordo com sua condição social. A psicologia normalmente estuda esta complexidade de fatores como "influência do meio". Não percebe que o processo de desenvolvimento do indivíduo se inscreve num processo histórico-social que o determina e, por sua vez, é por ele determinado. Assim, o processo de socialização da criança é concretamente determinado pela sua condição histórico-social. Além disso, enquanto sujeito da história, a criança tem a possibilidade de recriar seu processo de socialização e através dele interferir na realidade social.

Afirmar que a criança é sujeito da ação pode causar certa estranheza numa sociedade que nega o papel social da infância. Isto fica mais explícito quando consideramos as diferentes formas de participação da criança em condições sociais distintas. As crianças pobres da cidade e da zona rural trabalham desde que tenham o desenvolvimento físico suficiente. Muitas vezes sustentam suas famílias. Representam um importante contingente de trabalhadores, quase sempre subempregados, explorados pelas relações de produção. Por outro lado, as crianças dos diferentes estratos da classe média são consumidoras muito importantes, enquanto filhos de consumidores, o que será sempre lembrado pela publicidade, pela indústria de brinquedos, discos e livros, pelas escolas particulares etc. Como trabalhadora ou como consumidora, a criança participa ativamente enquanto ser social atuando mais ou menos de acordo com seu estágio de desenvolvimento físico.

Concluindo, o processo de socialização da criança não pode ser tratado senão dentro da perspectiva da análise dialética das relações de reciprocidade estabelecidas entre a criança e a sociedade de classes, o processo de socialização só pode ser tratado como um processo evolutivo da condição social da criança, considerando a sua origem de classe.

A escola e sua finalidade social

A escola certamente não é neutra. Ela atua como um instrumento de dominação, funcionando como reprodutora das classes sociais, através dos processos de seleção e exclusão dos mais pobres e, ao mesmo tempo, da dissimulação desses processos. Contudo, esse papel não se realiza perfeitamente, pois tanto a escola quanto o saber por ela ministrado constituem partes orgânicas de um todo social definido pela contradição básica, contida na relação entre dominantes e dominados.

Saviani conceitua a educação como "uma atividade mediadora no seio de uma prática social global" (1980, p. 120). A mediação ocorre no âmbito das relações que produzem o movimento de uma totalidade que se transforma em outra e, consequentemente, no âmbito das relações entre diferentes fenômenos que constituem manifestações desta totalidade. As relações de mediação expressam necessariamente o movimento de oposição de contradições irreconciliáveis em busca de uma síntese superadora.

A escola constitui uma das mediações possíveis na efetivação do conflito entre as classes sociais. Isto se dá porque a escola configura uma manifestação do movimento da totalidade social, reproduzindo internamente o confronto entre interesses opostos. Portanto, a escola que atende às finalidades dos dominadores pode também representar um espaço vivo e dinâmico para os dominados.

A definição dos fins sociais da educação implicam, pois, a proposição dos interesses de uma determinada classe social. O acesso à escola e a qualidade de ensino têm sido reivindicações das classes populares. Contudo, a escola tem respondido a estas aspirações com a experiência do fracasso e da marginalidade, cuja responsabilidade é atribuída à própria criança ou ao seu meio social.

Em nossa opinião, a escola tem três tarefas básicas a desempenhar a favor dos interesses das classes populares. Primeiramente, deverá facilitar a apropriação e valorização das características sócio--culturais próprias das classes populares. Em segundo lugar, e como consequência da primeira, a escola deverá garantir a aprendizagem de certos conteúdos essenciais da chamada cultura básica (leitura, escrita, operações matemáticas, noções fundamentais de história, geografia, ciências etc.). Finalmente, deverá propor a síntese entre os passos anteriores, possibilitando a crítica dos conteúdos ideológicos propostos pela cultura dominante e a reapropriação do saber que já foi alienado das classes populares pela dominação (Miranda, 1983, pp. 54-55).

O fato de essas funções não constituírem hoje uma prática concreta nas escolas não nos impede de lançá-las como projeção daquilo que poderá vir-a-ser, um produto de nossa vontade e de nossa ação. Esta possibilidade deverá ser buscada dentro da escola, pois este vir-a-ser está contido no seu movimento real.

A tarefa de propor uma educação voltada para os interesses populares requer a elaboração de uma pedagogia adequada a esses fins. Para Charlot, a tradução de fins sociais em fins pedagógicos pode ser esclarecida e depurada pelo conhecimento da psicologia da criança (1979, p. 227), Mas, certamente, uma psicologia que leve em conta a condição social da infância. A psicologia não define, pois, os fins da educação, mas pode contribuir no sentido de fazer com que eles sejam realizáveis.

As relações entre criança, escola e sociedade: o processo de socialização

No convívio com a família, a criança internaliza padrões de comportamento, normas e valores de sua realidade social decorrente de sua condição de classe. Até mesmo antes de nascer, tais condições estão presentes. Este processo ocorre necessariamente pela mediação do outro. De acordo com Spitz, a ausência da figura materna no primeiro ano de vida acarreta sérios distúrbios emocionais para a criança. A presença do outro (um adulto, quase sempre) é veículo para o estabelecimento dos vínculos básicos e essenciais entre criança e mundo social, através dos quais ela passa a se reconhecer e a reconhecer o outro numa relação de reciprocidade. Como vimos, tal processo de internalização, viabilizado pela mediação do outro, é determinado pelas condições sociais específicas da criança. Assim, a classe social em que se insere a família irá determinar os aspectos internalizados, o veículo de internalização e o próprio processo de internalização na socialização básica da criança.

Na escola, a criança vive um processo de socialização qualitativamente distinto, passando a internalizar novos conteúdos, padrões de comportamento e valores sociais. Será submetida a novos processos de internalização da realidade social, pela mediação de novos veículos sociais.

Uma crítica à escola capitalista é que ela impõe uma cultura que considera legítima, tornando ilegítima qualquer outra manifestação cultural. Desse modo, a escola pública nega muitos conteúdos e valores já socializados e propões novos padrões de socialização. Uma escola democrática, comprometida com os interesses populares, deverá reconhecer a legitimidade desses aspectos já socializados. Porém, isto não implica reafirmar os padrões já socializados no sentido de preservar uma "cultura dominada" emergente, mas de conhecer com profundidade os padrões de socialização da criança. Isto possibilitaria extrair os aspectos que irão direcionar a prática pedagógica e, até mesmo, aspectos que precisarão ser superados para que seja possível a tarefa da escola de assegurar ao aluno a aprendizagem de um conteúdo mínimo. A escola deverá, portanto, atuar crítica e reflexivamente na objetivação dos conteúdos, normas e valores internalizados na relação entre criança e escola.

Da mesma forma, é preciso repensar e recriar os processos de internalização e seus veículos sociais, ou, mais precisamente, a metodologia de ensino, as normas disciplinares, os processos de sedução e coação etc., veiculados por todos os integrantes da escola, principalmente pela figura do professor.

Acreditamos que a psicologia tem uma importante contribuição a dar, um auxílio à pedagogia, na redefinição de todos estes aspectos relativos à socialização da criança na escola. Problemas como indisciplina, violência, rivalidade, competição, descompromisso, individualismo, autoritarismo estão presentes no cotidiano das escolas públicas brasileiras. Tais questões são tratadas empiricamente ou, se tanto, são psicologizadas sob diferentes matizes teóricos. Raramente são alvo de uma análise crítica ou de propostas de ação refletidas na perspectiva de uma realidade histórico social. Qual é, pois, o significado destes "problemas de socialização? Se considerarmos a precariedade do ensino público no país, a péssima qualidade de vida da criança e todo o contexto da atualidade, somos levados a afirmar que tais "problemas de socialização" são sinais de saúde, resquícios de uma vitalidade negada, formas de resistência. Contudo, são formas que atrapalham e até mesmo impedem o processo de escolarização da criança, que, em nossa opinião, precisa ser assegurado. Possivelmente, a releitura desses sinais nos indicarão novas maneiras de repensar o processo de socialização da criança na escola.

Bibliografia

Ariès, Philippe, *História social da criança e da família*, Rio de Janeiro: Zahar, 1981.
Charlot, Bernard, *A mistificação pedagógica*, Rio de Janeiro: Zahar, 1979.
Miranda, Marília Gouvea de, *Do cotidiano da escola: observações preliminares para uma proposta de intervenção no ensino público*, Dissert. Mestrado, São Carlos: UFSCar, 1983.
Saviani, Dermeval, *Educação: do senso comum à consciência filosófica*. São Paulo: Cortez, 1980.
_____, *Escola e democracia*, São Paulo: Cortez, 1983.

Relações de trabalho e transformação social

Wanderley Codo

    A psicologia é a ciência que estuda o comportamento humano.
    Mas que comportamento humano estudar? Como iniciar a análise?
    Façamos um exercício, fechemos por alguns momentos os livros que já foram escritos a respeito de psicologia e pensemos ingenuamente no caminho a seguir.
    Começo por mim, agora: escrevo um texto que deve fazer parte de minha tese de doutoramento.

O cenário

    Estou sentado em uma cadeira, com uma caneta na mão, frente a um bloco de papel; uma estante, livros, paredes, interruptor de luz, lâmpada acesa. Tudo que compõe o ambiente em que estou tem uma característica em comum, é o resultado do trabalho humano. Para que existisse qualquer um desses objetos, homens se reuniram, se organizaram, o trabalho foi dividido, realizado e vendido. Não fosse a organização social que produziu a cadeira, eu não estaria sentado, ou a caneta, eu não escreveria, ou o papel, ou as paredes... Posso concluir que me comporto dessa forma porque os homens transformaram a natureza, colocaram-na a meu serviço, e que me comportaria de outra, se o trabalho humano produzisse outros resultados.

Partindo do que me circunda imediatamente, encontrei a resposta para a pergunta formulada no início.

O psicólogo deve estudar o trabalho humano. Quem entender como os homens transformam a natureza, como se organizam para produzir, entenderá muito sobre como e por que o homem se comporta.

Mas o cenário não é o único ponto de partida, posso prescindir do ambiente imediato e tomar como ponto de referência o gesto mesmo, meu comportamento.

O que faço?

1) Escrevo, ou seja, imprimo em um papel (p-a-p-e-l), utilizo um instrumento capaz de marcar (caneta), movimento minha ferramenta e provoco uma mudança no espaço de que disponho. Descubro que faço com a caneta e o papel o mesmo que o marceneiro fez para produzir a cadeira em que sento: utilizo as propriedades encontradas na natureza e dou a elas um sentido novo, transformo a natureza à minha imagem e semelhança. Chego à mesma conclusão, devo estudar o trabalho do homem.

2) Escrevo, imprimo sinais em um (p-a-p-e-l), mas não imprimo qualquer sinal, uso símbolos que foram desenvolvidos antigamente e que me foram ensinados na infância, unifico os símbolos de determinada maneira, que também têm a mesma história. Escrevo *papel* e você lê *papel*, sofreu experiência próxima da minha, foi alfabetizado como eu. Eu escrevo e você lê porque nossa sociedade se organizou para coletivizar as experiências que a história permitiu aos nossos antepassados. E eis-me de novo falando de história, de trabalho, do Homem que se hominiza ao humanizar a natureza.

Enfim, sob qualquer aspecto que examine meu comportamento, de qualquer ponto que eu parta — do agora, do passado, do futuro, do meu cérebro ao meu braço ou vice-versa, da minha sociedade para o meu comportamento ou vice-versa — chego à mesma conclusão: urge estudar o trabalho.

Mas talvez este não seja, ainda, o ponto de partida adequado, talvez meu comportamento seja *avis rara*, exceção. Deveria, então, partir do que os outros fazem. Vejamos.

Cenário

— Ruas, casas, carros... asfalto, concreto, ferro, alumínio, ambiente no qual os homens se locomovem.

— Lojas, armazéns, supermercados que os homens frequentam, e onde compram, vendem, se encontram, conversam.

— Rádio, televisão, cinema, jornal, revistas onde homens produzem informações sobre homens para os homens, ou onde homens informam sobre produções dos homens para que os homens conheçam e consumam.

— Fábricas, onde os homens se organizam para transformar a natureza à sua imagem e semelhança, se hierarquizam com base no domínio que têm sobre a produção e os meios de produção, dividem (desigualmente) o produto por toda a sociedade, e, com essa divisão, alimentam suas famílias com maior ou menor eficiência, pagam suas habitações neste ou naquele ponto da cidade com mais ou menos conforto, educam seus filhos formal e informalmente, sempre dependendo do lugar que ocupam na produção.

— Escritórios que organizam a organização dos homens que transformam a natureza e se hierarquizam e tudo se repete. Escolas que instrumentalizam o homem que se posicionará nessa estrutura de produção e consumo.

— Empresas inteiras (homens e máquinas produzidas por homens) dedicadas a transportar homens para os seus postos de trabalho.

Comportamento

Vejamos, rapidamente, o comportamento de um indivíduo "normal" que trabalhe num escritório qualquer, exercendo uma função burocrática. Suponhamos que seja um funcionário de escritório, que tenha por função levar e trazer documentos, fazer visitas às firmas etc.

O lugar onde ele trabalha determina o horário em que deve levantar-se da cama, portanto, o horário de deitar-se. Deve "preocupar-se com a aparência", ou seja, vestir um determinado tipo de roupa, por exemplo, *paletó e gravata*, o que significa que parte do orçamento doméstico deve ser deslocado para indumentária e que a passagem pelo espelho é obrigatória, antes de sair de casa. Os "deslizes" que possa cometer (uma camisa mal passada, uma gravata torta) provocarão interferência das pessoas com quem ele se relaciona no trabalho, direta ou indiretamente: o seu chefe imediato pode lhe ordenar que corrija os defeitos; os seus colegas de trabalho podem fazer comentários jocosos; ou pode ter dificuldade de ser recebido em uma ou outra empresa. Por outro lado, recebe elogios ao se apresentar "bem trajado": uma roupa nova merece comentários elogiosos, manifestações de inveja — o que pode levar o nosso funcionário a se demorar frente às vitrinas, a escolher mais criteriosamente o seu cabeleireiro, a adotar, enfim, toda uma postura, ou um projeto (um sonho) de postura reforçado cotidianamente por todas as suas relações de trabalho.

Sua linguagem sofre interferências diretas do trabalho que ocupa. O trabalhador utiliza termos que, para os outros mortais (não integrados nesse trabalho), são desconhecidos ou inusitados, como: kardex, papel ofício, requerimento, protocolo, borderôs, RAIS; isso para não citar a "gíria" da função.

Nos dias de folga, ou depois de sair do trabalho, se encontra com seus colegas de escritório e os eventuais amigos que fez por suas andanças. Provavelmente, namora uma recepcionista, ou organiza um time de futebol que disputará com o escritório vizinho uma taça "cedida" gentilmente por um dos patrões, e/ou fará um curso de datilografia, de inglês, de contabilidade, etc.

As relações de trabalho determinam o seu comportamento, suas expectativas, seus projetas para o futuro, sua linguagem, seu afeto.

Mas tomemos um outro exemplo, um operário. Tal e qual para o nosso funcionário de escritório, os seus horários estão regulados pelo trabalho, suas relações sociais também, seus projetos também. Diferentes ambientes de trabalho determinam, porém, indivíduos radicalmente diferentes. As mãos do operário grossas e ágeis, suas roupas escolhidas por critérios de longevidade, suas palavras e os bares que frequenta são outros.

A análise mais aprofundada de quanto as tarefas intervêm no comportamento do operário será feita mais adiante, no texto.

As afirmações acima são válidas para um comerciante, uma enfermeira, um executivo, um dono de indústria. Cada gesto, cada palavra, cada reflexão, cada fantasia traz a marca indelével, indiscutível de sua classe social, do "lugar que o indivíduo ocupa na produção".

Pois bem, sejamos então mais pragmáticos e busquemos uma atividade que seja fundamental. O homem está vivo porque se alimenta. Sua alimentação é conseguida através de seu trabalho. Partindo da sobrevivência do homem, chegaremos à mesma conclusão.

Nós, psicólogos, vivemos afirmando que o homem é um ser social, um ser histórico. Mas o que exatamente significa isso? Ao declararmos que o homem é um ser histórico, estamos afirmando que a sua relação com o meio ambiente se dá de uma maneira permeada socialmente. No dizer de Engels, o único fato histórico que existe é que o homem precisa sobreviver. E o que muda não é o que se produz num determinado período histórico, são as relações de produção, são as relações sociais que permeiam ou que significam, *stricto sensu*, a relação entre os homens. A comida que mantém o homem em pé, o sexo que mantém as gerações se sucedendo, a forma de expressão do homem sempre estiveram presentes em qualquer momento histórico que se tomar. O que muda, se transforma são as relações sociais que os homens utilizam para essa produção.

No nosso caso, vivemos uma relação social muito bem estabelecida, uma definição das formas de produção muito clara, que estabelece o papel do homem, as relações que ele deve ou não manter com seus semelhantes. Trata-se do modo de produção capitalista. Esse modo de produção permeia literalmente toda a atividade do homem: "com quem você se relacionará", "o que você produz", "o que consome", "de que maneira você produz", "de que maneira você consome".

Note-se que estamos vivendo um período em que os meios de comunicação estão bastante desenvolvidos e, todos eles, permeados pelas relações de produção de uma forma direta.[1] Estamos vivendo na era da televisão, do consumo de massas, dos eletrodomésticos, o que maximiza a relação entre sistema social e comportamento humano, este último objeto de estudo da psicologia.

Veremos a seguir como o sistema modifica o próprio trabalho e insere o homem numa determinada relação social distinta. Trate-se, então, de perceber que aqui, mais do que nunca, qualquer ato humano, qualquer comportamento que servir como objeto de estudo a qualquer psicólogo é permeado necessariamente pelas relações de

---

1. Quando nos referimos a relações de produção, queremos significar as relações de trabalho em uma sociedade capitalista, onde o trabalho assume a forma de mercadoria e o objetivo é a extração da mais-valia.

produção. O gesto do homem é um gesto no mundo, inserido necessariamente, quer os psicólogos queiram ou não, quer percebam ou não, imediatamente nessas relações de produção desenvolvidas pelo ser humano.

A cada gesto pode ser atribuído o conteúdo de classe, e aqui, de novo, sobra a mesma conclusão: o estudo da psicologia deve partir das relações de produção, reconhecer como o comportamento é determinado a partir dessas relações de produção.

Acima, ao analisar as várias razões que nos levam a estudar as condições de trabalho humano e a respectiva inserção do homem neste processo, falamos principalmente em determinação do comportamento do homem. Cabem algumas observações.

É necessário sublinhar que estamos falando de determinação e não de subordinação.[2] A diferença é essencial, não se trata de afirmar que todas as ações humanas estão subordinadas a um sistema capitalista ou qualquer outro sistema de produção. Para exemplificar, podemos tomar a relação pai e filho, utilizando um método bastante comum em psicologia, de reduzir a realidade a seus termos mais simples, para tentar explicá-la. Depois voltaremos para a questão que nos interessa.

Podemos dizer que a vida do filho, o seu comportamento atual é determinado pela relação que ele teve anteriormente com seus pais, o que não significa que seja subordinada à relação com os pais. Um filho não reproduz os pais. Um pai, que tenha sido um dentista, não gerará um filho dentista. Poderá, por exemplo, gerar um filho que tenha raiva, horror, que se afaste da profissão do pai e venha a ser um sociólogo. O fato de o filho ter horror à profissão de dentista é determinado pela profissão do pai, pela relação que o pai e filho tiveram durante sua história, mas não significa que a escolha da profissão esteja subordinada literalmente ao comportamento do pai. Ou ainda, um pai idealista, desligado absolutamente das questões concretas de sobrevivência, "preocupado mais com a arte do que com o pão", pode gerar um filho absolutamente mesquinho, preocupado com cada tostão que puder ser economizado para garantir

---

2. A confusão entre determinação e subordinação é comum em uma abordagem mecanicista que queremos de inicio repudiar. Como os extremos se tocam, o mecanicismo materialista pode levar a uma postura metafísica, como já foi apontado por Merani, A. L. (*Psicologia e Alienação*).

o seu futuro. Mesmo que o filho se desenvolva na mesma profissão do pai, continua valendo o mesmo raciocínio, pois trata-se de um novo sujeito em que poderemos estudar a determinação do comportamento do filho pelo pai, sem reduzir o fenômeno à subordinação. Quando falamos em determinação social estamos usando o mesmo significado. Reconhecendo que o comportamento do homem está determinado pela sociedade onde vive sem, no entanto, se reduzir àquela sociedade.

Se o sistema gera alienação, não precisamos ter necessariamente operários alienados, porque juntamente com alienação o sistema gera revolta, a exploração de classe determina o desenvolvimento de uma nova consciência de classe e a luta por um novo sistema social.

No início do texto colocamos a pergunta: o que estudar em psicologia? Partindo do meio ambiente imediato em que os seres humanos vivem hoje, das relações culturais que se estabelecem entre os homens ou dos fatos que garantem a nossa sobrevivência, chegamos à mesma conclusão: cumpre estudar o trabalho humano, saber como as relações de produção determinam o comportamento do homem.

Mas, dizíamos, esta reflexão foi feita com os livros de psicologia fechados.

Ao abrir os livros de psicologia, chega a impressionar o distanciamento que a nossa ciência mantém destas questões.

Apenas para citar um exemplo, o *Handbook of Social Psychology* (Lindzey & Aronson, 2ª ed.), cinco grossos volumes que percorrem quase todas as áreas de estudo em psicologia social, dedica exatamente dez páginas para discutir o problema do trabalho humano.

Vejamos o problema mais de perto, convidamos o leitor a abrir um número qualquer do *Psychological Abstract*, por exemplo o de janeiro de 1980 (o último número de que disponho, enquanto escrevo), publicação que resenha todos os últimos trabalhos de psicologia.

Procuraremos a palavra *worker* (trabalhador), e a revista nos remete à palavra *personnel*, que, em inglês, significa "pessoal", "grupo de empregados", mais ou menos como utilizamos em português, Departamento de Pessoal, Seleção de Pessoal, etc.

Ora, eis aqui uma visão clara do significado da palavra trabalhador. A julgar pelo *Psychological Abstract*, o trabalhador interessa à Psicologia em função do Departamento de Pessoal.

Continuemos nossa pesquisa, e veremos que "trabalho" aparece, em psicologia, com alguns significados bastante precisos:

1) como uma variável interveniente, ou seja, um fator que pode interferir em "outros" aspectos da vida do indivíduo. Veja-se o artigo de K. King (1978), que pergunta como os adolescentes percebem o relacionamento entre os familiares, quando suas mães trabalham;

2) como uma instituição estranha, independente do indivíduo que trabalha. Como, por exemplo, os trabalhos de previsão de *turnover*, onde os objetivos do psicólogo são os de saber qual a probabilidade, quando uma empresa contratar um indivíduo, de que ele se mantenha no emprego. Ver, por exemplo, o trabalho de F. Suzene *et al.*, que mostra que quando a expectativa de salário é muito alta ou quando reside muito longe da fábrica, a mulher abandona mais frequentemente o emprego ou, ainda, quais são os fatores que garantem a permanência no trabalho (ver os artigos sobre *job satisfaction*).

Em síntese, a psicologia toma o trabalho a partir das relações de produção capitalista. Vejamos qual o sentido que o capitalismo engendrou ao trabalho, ou ainda qual a diferença entre a "formulação original" de trabalho e o estágio de desenvolvimento atual das forças produtivas.

O trabalho hoje

Toda mudança ocorrida nas relações de produção visou libertar o homem do jugo do feudalismo e torná-lo livre para vender sua força de trabalho. Apesar de lutas de classe, ou seja, a exploração de uma classe sobre a outra, terem se iniciado muito antes desse período, a forma de exploração se modifica radicalmente. Pela primeira vez na história, o homem passa a vender a sua força de trabalho.

Essa transformação, o advento da mais-valia, a transformação do trabalho em mercadoria, tem decorrências profundas na sociedade humana e, também, no comportamento humano, que, obviamente, se deram dialeticamente relacionadas. Aqui, por limites de descrição, separaremos os vários pontos, tendo sempre em mente que não são eventos estanques ou isolados. Muito sucintamente, enumeraremos algumas transformações para análise.

1) Aos valores de uso (satisfação de necessidades humanas) que os objetos produzidos pelo homem contêm, acrescenta-se, pela

divisão social do trabalho, um outro valor, o valor de troca. Os objetos necessários "ao estômago" ou "à fantasia" humanos perdem sua especificidade, um paletó não é mais, apenas, algo que me proteja do frio, é também mercadoria trocável por qualquer outra.

O fator equalizador dos diferentes valores de uso é o trabalho humano, "cada mercadoria individual é considerada um exemplo médio de sua espécie, mercadorias que contêm iguais quantidades de trabalho, ou que podem ser produzidas com o mesmo tempo de trabalho, possuem, consequentemente, valor da mesma magnitude. O valor necessário à produção de uma está para o tempo de produção de outra". (*O capital*, p. 47).

Se o produto do trabalho vale apenas pelas horas de trabalho nele inseridas, o vínculo trabalho-satisfação de necessidades ganha um elo novo: transforma-se em trabalho-troca de equivalentes-satisfação de necessidades, o que faz por tornar as necessidades do Homem contingentes ao dinheiro (equivalente) e não à sua própria tarefa. Pela mesma razão, subordina o uso à capacidade de troca e não à capacidade de produção. Em outras palavras, a sobrevivência do homem passa a depender não de sua ação (ou de seu trabalho) mesmo, mas sim do trabalho social (ação social), e por outro lado, obviamente, sua ação deixa de ser definida por suas necessidades e passa a ser definida por critérios sociais.

Ocorre aqui um primeiro processo de alienação, no sentido de separação entre ação e sobrevivência humana,[3] o trabalho humano perde sua especificidade e se transforma em valor abstrato, confundindo-se com a moeda que o representa.

2) Para que haja mercadoria é necessário que haja divisão de trabalho; se todos produzissem tudo não haveria necessidade de troca, portanto, não haveria necessidade de equivalentes. A divisão do trabalho cria, ato contínuo, uma classe de comerciantes, responsável pela troca de mercadorias entre os consumidores, o que faz com que,

---

3. Observe-se que, se o processo se esgotasse por aqui, a alienação a que nos referimos não dependeria de classe social (lugar que o indivíduo ocupa na produção) na medida em que mesmo o dono dos meios de produção não exerce o elo produção-autossatisfação de necessidades, o que denota duas coisas: 1) que não é o surgimento do equivalente o responsável solitário pelo surgimento de classes. como veremos a seguir; 2) que o surgimento do capitalismo não aliena apenas o trabalhador, mas também o dono dos meios de produção.

"pela primeira vez na história universal, todo indivíduo dependesse do mundo inteiro para a satisfação de suas necessidades" *(A ideologia alemã,* p. 56).

Ocorre que o valor de troca atribuído à mercadoria é expressão pura e simples da quantidade de trabalho "injetada" na natureza, ou seja, o trabalho humano é que está sendo negociado. Trata-se de materialização social do fenômeno apontado em 1, "Recebo o necessário à minha vida através de um intermediário, ou seja, sequer conheço o indivíduo e/ou o processo de produção responsável pela satisfação de minhas necessidades; igual destino sofre o que produzo".

A ação do homem passa a pertencer à sociedade, a ser regulada pelas leis de oferta e procura, acumulada como capital. "A forma mercadoria é a forma geral do produto do trabalho, em consequência, a relação dos homens entre si como possuidores de mercadoria é a relação social dominante..." *(O capital,* p. 70) O trabalho é representado pelo valor do produto do trabalho, e a duração do tempo pela magnitude deste valor, fórmulas que pertencem claramente a *uma sociedade em que o processo de produção domina o Homem e não o Homem domina o processo de produção social...*[4] (grifos *A ideologia alemã,* p. 8).

3) Pois bem, o trabalho não é apenas uma mercadoria, mas é a única capaz de produzir excedente, por ser o único valor de uso capaz de criar valor, consumir trabalho é criar trabalho *(O capital,* cap. III). Trata-se do único elo na cadeia de gerar mercadorias que pode ser explorado para gerar mais-valia (mais valor), pois o trabalho é vendido como qualquer mercadoria, pelo preço de custo de sua produção (o preço do sustento do trabalhador e sua família, produção e reprodução da força de trabalho) e pode ou deve produzir mais valor do que custou, diferentemente de uma tora de madeira que não pode produzir mais do que um número "x" de cadeiras, por exemplo. O

---

4. Isto talvez explique por que grande parte do que é chamado de lazer contemporâneo seja do tipo *Do-it-yourself*. Apenas para exemplificar, um acampamento (*camping*), para onde uma família viaja horas e onde "perde" dias para acender uma fogueira e assar um coelho (coisa que se pode fazer em duas horas com um telefonema e um apertar de botão) ou mesmo boa parte dos jogos preferidos por grande parte da população não significariam o resgate do controle sobre a tarefa? Ou a recuperação do elo produção-satisfação de necessidade?

lucro, portanto, só pode advir da exploração do trabalho alheio pelo capitalista.

Até aqui o trabalhador produz mercadorias que não consome, consome mercadorias que não produziu, sua ação e sua sobrevivência lhe escapam, mas é mais que isso: inverte-se a correlação entre esforço e sobrevivência, mais trabalho continua significando mais produção, mais valores de uso, *mas não para o trabalhador* e sim para o capitalista. E, pior ainda, a superprodução é a razão da pauperização ("o trabalhador é mais pobre quanto mais riqueza produz" — *Manuscritos econômicos e filosóficos*). Na medida em que a função da compra do trabalho é a expropriação dele mesmo — criação de mais-valia — o papel do trabalhador é o de produzir riqueza para o outro e, ato contínuo, sua própria miséria.

Se falamos em alienação, agora podemos falar em roubo, o homem se transforma ao transformar, pelo domínio, a natureza, constrói a si mesmo: quando vende seu trabalho, vende a transformação que a natureza opera em si, sua hominização que, por sua vez, enquanto mercadoria, lhe aparece como objeto independente, vendido ao trabalhador em troca do salário.

4) O advento do capitalismo traz em seu ventre o desenvolvimento da maquinaria. O fato histórico apontado acima, a transformação do trabalho em mercadoria, capaz de gerar mais-valia, traz como corolário a necessidade de aumentar o rendimento do trabalhador, diminuindo o tempo gasto por unidade do produto, ou o tempo de "trabalho socialmente necessário", obviamente sem redução do número de horas que o indivíduo dedica à fábrica.

Embora sendo fruto do mesmo processo, a maquinaria vem introduzir um fenômeno qualitativamente distinto no fracionamento do trabalho humano.

Trata-se de promover, tanto longitudinal como transversalmente, uma fragmentação da ação humana. Longitudinalmente, o trabalho não é assumido por inteiro pelo trabalhador, cada par de braços faz uma parte da tarefa, e a partilha é realizada segundo as características das máquinas e/ou dos ditames de "racionalização", sendo que, quanto maior a divisão de tarefas, maior a eficiência, MAIOR a produção, quanto MENOR for o gesto.

Transversalmente, o operário que aperta um botão desencadeia um processo que se iniciou em uma mina de ferro que produziu lingotes, que produziu máquinas, que produzem ferramentas, que por fim compõem o produto.

O capital, que já alienara o homem do produto de seu trabalho, agora rouba-lhe o gesto, o movimento do seu braço é algo que não lhe pertence, e que não é determinado pelo trabalhador.

5) O desenvolvimento do capital não se deu por igual, na medida em que desenvolver-se, para o capitalismo, é a maximização das desigualdades. A nível internacional, tais diferenças reproduzem mercados diferenciados, o que passa a servir ao próprio desenvolvimento do capital, que explora com maestria as desigualdades que criou.

Entra em cena o capitalismo multinacional. Vimos acima como as relações sociais de produção engendram a alienação do homem, roubam-lhe o gesto. Cumpre-se a profecia de Marx e Engels: "O homem passa a depender de todo o planeta para a satisfação de suas necessidades". Com a internacionalização do capitalismo, radicaliza-se esta tendência e, outra vez, muda de qualidade; o homem passa a depender do mundo inteiro para a produção de bens, a matéria-prima é produzida em um país, as ferramentas em outro, as peças num terceiro, as montagens finais num quarto país, o produto final é consumido em todo o planeta.

Aqui a fragmentação do trabalho atinge as relações sociais de produção. O lucro, a expropriação do trabalho, deixou de ter nome, sobrenome e endereço, como na época em que a limusine do patrão deitava às portas da fábrica um corpanzil gordo, que parecia acumular as energias sugadas do trabalhador. Hoje, "jovens executivos dinâmicos" transmitem "ordens superiores" recebidas, por sua vez, de executivos menos jovens, que por sua vez, também receberam ordens superiores, *per omnia*.

A internacionalização do capital rouba o ladrão do produto do trabalho.

Síntese

Reproduzimos aqui a maneira violenta como os modos de produção capitalista se apropriam do produtor. Falamos até agora do trabalho humano, ou seja, a apropriação do comportamento do homem.

Procuramos demonstrar como o trabalho se imiscui e determina o comportamento do homem, quando não se identificam coisa e outra.

O trabalho, hoje, é o trabalho alienado, descolado do homem que realiza, expropriado. E é assim que a psicologia o concebe, reeditando a produção como instância independente, estranha ao produtor. Nosso objetivo, aqui, é fazer caminho inverso. Tomar a questão do trabalho alienado não como um dado, mas como um processo, o que implica, em cada instante, buscar o movimento histórico, reconhecê-lo contraditório.

Ao buscar, em psicologia, parâmetros de análise que permitam resgatar esta relação dinâmica no trabalho, cumpre ter em mente que o problema que se coloca é este: entender, a nível do indivíduo, como se apresenta a transformação do trabalho no seu oposto. De instrumento de domínio da natureza pelo homem em instrumento de domínio do homem pela "natureza". (*O capital*, livro I, seção III, cap. V, p. 130).

Só existe um fato histórico, o de que o Homem precisa sobreviver (Marx e Engels, *A ideologia alemã*). Sobreviver é literalmente controlar o meio ambiente, transformá-lo à sua imagem e semelhança. Apenas por esta razão, podemos perceber que: 1) lidar com o controle que o indivíduo tem sobre o meio é lidar com todo o comportamento de qualquer indivíduo, em qualquer sistema social e, concomitantemente, 2) qualquer escala, ou experimento, por mais completo que seja, não será capaz de lidar com o fenômeno como um todo, transformando-se em um instrumento ou tosco ou fluído.

Kelly (1955) afirmava: "...É costumeiro dizer que os cientistas almejam a predição e o controle... no entanto, curiosamente, os psicólogos raramente acreditam que os seus sujeitos experimentais tenham aspirações semelhantes... É necessário que o homem individual, cada qual de sua maneira, assuma a estatura de um cientista para procurar predizer e controlar o curso dos eventos nos quais está envolvido?".

Freud dizia que o objetivo da psicoterapia era o de "destruir a coerção que pesa sobre a vida do indivíduo", através do conhecimento das representações do inconsciente (p. 1012), ou ainda que "o indivíduo deve se encontrar com ele mesmo... se educar a olhar para o seu passado e retratar nele seu presente e o seu futuro".

Se quiséssemos citar as referências de Skinner à questão do controle do indivíduo sobre seu próprio meio, gastaríamos páginas e páginas. Basta lembrar o final do livro, sobre o *behaviorismo*, onde o autor manifesta a esperança de que "o homem controle o seu próprio destino".

O problema do controle do homem sobre o seu meio e/ou sobre si mesmo é fundamental para a psicologia, e não poderia ser de outra forma.

A psicologia surgiu em um período que poderia ser delimitado grosseiramente entre 1880 e 1920, com os primeiros trabalhos de William James (1875), Dewey (1887), Ebbinghaus (1880), Pavlov (1900), Watson (1912), Kohler (1912), Wertheimer & Kafka (entre 1910 e 1912), Freud (entre 1880 e 1890).

Não se trata do início da reflexão sobre o homem, pois esta tarefa sempre foi exercida pela filosofia desde Aristóteles; trata-se de transformar a reflexão do homem em ciência.

Filosofia é *sof(i)a,* amigo, amizade, envolve relação íntima, promiscuidade, identificação; ciência é apropriação, afastamento, é objetiva, refere-se ao objeto, portanto, o diferencia do sujeito. A preocupação do homem para consigo mesmo sempre existiu, no entanto, a psicologia foi uma das últimas a se constituir como ramo científico "independente". Ou seja, a história demorou a exigir que o conhecimento do homem se afastasse dele mesmo, se objetivasse.

Entre 1880 e 1920 o mundo sofria uma transformação, cuja marca maior foi a transformação do trabalho em mercadoria, como já vimos.

A Revolução Burguesa tratou de deslocar o processo de exploração, de diferenciação entre classes, do domínio divino-hereditário para o plano da livre concorrência — o poder herdado cede terreno ao poder adquirido. A trama econômico-social passa a depender da capacidade de apropriação do trabalho alheio, a mais-valia se dá então, na proporção em que o trabalho do homem puder ser colocado sob controle, na medida em que os ditames de sangue são substituídos pelos ditames da produção.

Tempo de Taylor, tempo em que a produção humana, em última instância, instrumento de transformação da natureza pelo homem e do homem pela natureza, deve se submeter ao capital, tempo em que o homem vende sua capacidade de transformação (e autotransformação) pelo salário, ou seja, se aliena de si mesmo.

Tempo em que a capacidade de acumulação do Capital é inversamente proporcional ao controle do homem sobre seu próprio meio ambiente.

Neste momento, o pensamento humano necessita transformar a reflexão sobre o homem na intervenção sobre o homem. Reclama-se da psicologia que abandone a filosofia, a promiscuidade entre sujeito e objeto, e venha se alojar na ciência, transformando-se de reflexão em controle.

A psicologia é, portanto, produto direto e dileto da transformação do homem em mercadoria, ao mesmo tempo que, como produto da divisão social do trabalho, reproduz e impulsiona esta mesma divisão.

O espaço da psicologia, por imposição histórica ou por definição decorrente de sua prática, se insere na contradição que o duplo caráter do trabalho engendra, entre a alienação, a tortura do trabalho que virou mercadoria e o ser/vir-a-ser que representa o Homem construindo a si mesmo. Senão vejamos:

O sintoma obsessivo compulsivo é caracterizado por uma imperiosa necessidade de pensar ou executar algum ato independente do desejo consciente do indivíduo. Podemos exemplificar sucintamente: determinada jovem vê-se obrigada compulsivamente a evitar todas as frinchas das calçadas, caminhando com uma preocupação ansiosa de não pisá-las, pois imagina que se vacilar e seu pé tocar algumas dessas frinchas, nesse exato momento num local distante sua mãe poderá cair e ter a espinha quebrada. A interpretação analítica do fenômeno poderá dar conta de que o que existe inconscientemente é um ódio voltado contra a figura materna que insiste em avançar sobre o Ego, e a ansiedade que essa ameaça produz é controlada pelo sintoma obsessivo-compulsivo que visaria anular esse desejo hostil inconsciente.

Uma das explicações behavioristas para o mesmo fenômeno seria a de que se trata de um comportamento supersticioso, ou seja, contingências acidentais fizeram com que aumentasse a frequência da resposta de não tocar com os pés nas frinchas ou, *mutatis mutandis*, a resposta de pisar... foi punida acidentalmente e a partir daí generalizou-se.

Tecnicamente falando, tanto um behaviorista como um psicanalista estão afirmando a mesma coisa, trata-se de uma elaboração humana que tem por resultado recuperar magicamente o controle sobre si mesmo e/ou sobre o meio, através da "autotransformação" do próprio comportamento, e eis aqui o conceito de trabalho apontado por Marx, reencontrado.

Filosoficamente (no sentido de uma cosmovisão), a mensagem analítica poderia ser sintetizada assim: o Homem não é dono de si mesmo, faz coisas cujas causas não conhece, é controlado por forças que escapam do seu controle. Seguindo a mesma trilha o behaviorismo afirma: o Homem não é dono de si mesmo, é controlado pelo meio ambiente.

O exercício da clínica psicanalítica e behaviorista é o mesmo, devolver ao indivíduo o controle de si mesmo e/ou de seu universo.

Ambos os enfoques são vítimas do mesmo pecado, filhos que são de um mundo onde o trabalho virou mercadoria, consideram como inerente ao ser humano o que é inerente ao Capital. Por isso a psicanálise corre o risco de propugnar por um homem livre do seu conflito com a vida, ou seja, adaptado ao mundo, no sentido mais conservador que estas palavras possam ter, e pelo avesso o behaviorismo corre o risco idêntico de se transformar em Engenharia, ignorando o Homem como sujeito de sua história.

O Homem não é nem escravo nem senhor (de si mesmo ou do mundo). É a dialética do escravo e do senhor, ou como já dissemos antes: "Parafraseando Engels, o único fato psicológico é o de que o Homem precisa sobreviver; [...] Submeter-se ao mundo como um simples mortal, projetar e recriar o mundo à sua imagem e semelhança, como um Deus".

Bibliografia

Bolles, R. C., *Teoria de la motivación*, 2ª ed. México: Ed. Trilhas, 1976.
Darwin, C., *A origem das espécies*, São Paulo: Hemus.
Gorz, A., *Crítica da divisão do trabalho,* 1ª ed. bras., São Paulo: Martins Fontes, 1970.
Lenin, *Obras escogidas*, URSS: Ed. Progreso Moscú, 12 vols., 1978.
Lindzey, G e Aronson, E., *The Handbook of Social Psychology*, vol. I, Addison-Wesley Publishing Company, Mass., 1968.
Marx, K., *El capital*, 3 vols., 4ª ed. México-Buenos Aires: Fondo de Cultura Económica, 1966.
Marx, K. e Engels, F., *Obras escogidas*, 3 vols., URSS: Ed. Progreso Moscú. 1978.
Oliveira, C. de, *O banquete e o sonho*, vol. 3, São Paulo: *Cadernos de Debate*, Ed. Brasiliense, 1976.
Pinto, A. V., *Ciência e existência*, Rio de Janeiro: Paz e Terra, 1969.
Skinner, B. F., *Cumulative Record*, New Iorque: Appleton-Century-Crofts. 1961.

Parte 4
A práxis do psicólogo

Psicologia educacional: uma avaliação crítica

José Carlos Libâneo

O autor deste texto não é psicólogo, mas um educador que, há mais de dez anos, *vem* acompanhando a trajetória da psicologia educacional nos cursos de licenciatura e nas escolas de 1º e 2º graus. As ideias expostas aqui não formam um pensamento acabado, pelo contrário, devem ser consideradas como uma tentativa muito provisória de estabelecimento das relações entre a pedagogia e a psicologia educacional.

A mais grave limitação do ensino da psicologia educacional é a distância entre seu conteúdo e a prática escolar, e isso explica seu efeito quase insignificante na formação de professores. Por exemplo, muitos manuais em uso nos cursos referem-se a estudos e pesquisas feitos em outros países, cujos resultados são de pouca ou nenhuma valia para o cotidiano de uma sala de aula. Em alguns casos, o ensino se reduz à descrição de teorias sobre os estágios do desenvolvimento infantil ou às técnicas de diagnóstico e tratamento das dificuldades de aprendizagem e distúrbios emocionais, sem levar em conta antecedentes sociais das crianças e prática que os professores vão enfrentar nas escolas.

A psicologia educacional como área profissional específica caracterizou-se, durante muito tempo, por atividades de tratamento de crianças com problemas de aprendizagem e ajustamento escolar. Por volta dos anos 1960-1965, houve tentativas, na maior parte fracassadas, de inserção do psicólogo escolar como membro da equipe técnica da escola ao lado de supervisores e orientadores educacionais. Na prática, as atribuições cabíveis a um psicólogo educacional sempre acabaram ficando com o orientador educacional e, evidentemente, com o professor, que efetivamente sempre esteve exercendo algumas de suas atribuições como "psicólogo" aplicado.

Atualmente, os psicólogos escolares ou se dedicam a pesquisas *sobre* a escola e não *na* escola ou atuam em clínicas especializadas em problemas de aprendizagem e ajustamento escolar, prestando serviços eventuais nas escolas.

Em 1971 Poppovic escrevia: "É de se lamentar em nosso panorama atual a falta de coordenação e entrosamento entre a pedagogia e a psicologia. Enquanto aquela raramente se preocupa em usar os dados proporcionados pelas pesquisas psicológicas, esta, com muita frequência, permanece num campo teórico, sem chegar a conclusões práticas de utilidade para a pedagogia". O fato é que, até hoje, os psicólogos educacionais insistem em se restringir a tratar problemas de desenvolvimento ou ajustamento das crianças à escola, dentro da tradição da psicologia funcionalista e mais recentemente da psicologia humanista, sem voltar-se para questões como metodologia usada pelos professores na sala de aula, currículo, seleção e organização de conteúdos, participação da escola na comunidade e vice-versa, comportamento de professores em sua interação com alunos etc. Ou seja, a formação do psicólogo se restringe ao contexto psicológico, sem chegar ao pedagógico propriamente dito e, muito menos, ao social.

Uma das dificuldades desse entrosamento pode estar na impermeabilidade entre as ciências que concorrem na explicação do ato educativo. Devido ao pouco desenvolvimento da ciência pedagógica, os próprios educadores têm permitido que as ciências auxiliares da educação (psicologia da, sociologia da, economia da) disputem a hegemonia sobre o especificamente pedagógico. Isso, inclusive, tem favorecido toda a sorte de reducionismos: além do próprio pedagogismo, o sociologismo e o psicologismo.

Os reducionismos pecam por isolar um aspecto da totalidade do ato educativo e, em cima desse aspecto parcial, discutir o objeto educação. O privilegiamento do enfoque sócio-político, por exemplo, leva a reduzir todos os problemas da escola e da educação ao conhecimento e crítica da função social de reprodução das relações sociais de produção que cumprem em nossa sociedade. Esta posição recusa qualquer fundamentação psicológica na educação força a diluição do pedagógico no psicológico e assim falha por não considerar o ato educativo na sua totalidade. Por outro lado, o enfoque estritamente psicológico ignora o efeito das condições sociais e políticas sobre o comportamento, tomando subjetivos os problemas gerados pela estrutura social e econômica. Quase todas as tendências psicológicas atuais (funcionalistas, humanistas, cognitivistas, psicanalistas, orientalistas etc.), continuam mantendo a crença numa sociedade harmoniosa para a qual as pessoas devem ser ajustadas, procurando principalmente no indivíduo a origem de suas condutas. Os professores e técnicos escolares também insistem no seu "ismo" ao tentar preservar a missão salvadora da escola na supressão das igualdades sociais, absolvendo o sistema social e político e até rejeitando os auxílios científicos que podem ser fornecidos pela psicologia. O pedagogismo acredita poder resolver os problemas da escola e do mundo dentro do seu interior, como se a mudança social pudesse se dar como consequência da mudança escolar.

O ato educativo é uma totalidade na qual afluem fatores (sociais, econômicos, psicológicos) que se constituem nas *condições* para o desenvolvimento individual. Condições biológicas, condições sociais, disponibilidades psicológicas são todas *mediações* entre o indivíduo e a sociedade, e que permitem ou dificultam à criança apropriar-se do patrimônio cultural, construindo-se pela sua própria atividade, como ser humano, vale dizer, como ser social.

Discutir o objeto da sociologia e da psicologia educacional supõe a discussão do objeto da ciência pedagógica, ou seja, a especificidade do pedagógico. De fato, há mecanismos íntimos próprios da relação pedagógica que incluem mediações de natureza social e política, mas também incluem a análise da experiência individual e a própria eficácia da situação de ensino. Isso significa que as situações pedagógicas precedem a análise do ato educativo nas suas dimensões psicológica e sociológica. No caso da psicologia, ela intervém para explicar os componentes psíquicos envolvidos no processo ensino-aprendizagem. Segundo Mialaret, "o educador pode deixar de respeitar as leis estabelecidas pela biologia, pela sociologia ou pela psicologia; mas essas leis não podem ser consideradas senão como meio de ação e de valor relativo às próprias condições pedagógicas" (1974).

A utilidade da psicologia educacional, portanto, depende do grau em que dá conta de explicar problemas enfrentados pelos professores na sala de aula, problemas esses, no entanto, que somente podem ser compreendidos como resultantes de fatores estruturais mais amplos. Não é possível, assim, que a psicologia educacional seja determinante da ação pedagógica; antes, é uma fonte de orientação para os processos e situações pedagógicas, cabendo à experiência escolar a última palavra. O papel preponderante da psicologia é o de fornecer ao professor princípios do comportamento humano, especialmente os relacionados com a aprendizagem escolar, para que ele, de acordo com seu senso crítico, os transforme em métodos adequados às situações pedagógicas concretas.

Psicologia e pedagogia

Entender o psicológico dentro do pedagógico e ambos dentro do contexto social amplo, significa assumir a posição de que a escola é, para os alunos, uma mediação entre determinantes gerais que caracterizam seus antecedentes sociais e o seu destino social de classe; quer dizer que as finalidades da escola são, acima de tudo, sociais, seja no sentido de adaptação à sociedade vigente, seja no sentido de sua transformação. "Se as relações contraditórias entre reprodução e mudança se efetuam na e pela escola, essa mediação se dará tanto no sentido de que a destinação social dessa clientela reafirme as suas condições de origem, quanto no sentido de que estas condições de origem sejam negadas." (Mello, 1982). A ação docente se dá, assim, entre o indivíduo e as realidades sociais (o mundo), e a psicologia é chamada para fornecer *apoio* na leitura das relações entre o individual e o social e, daí, para o pedagógico propriamente dito.

Entretanto, a psicologia que se desenvolve na segunda metade do século XIX, refletindo circunstâncias históricas e sociais do período — basicamente a consolidação do capitalismo —, vem acentuar a ideia da natureza humana individual e que se sobrepõe às circunstâncias sociais que a cercam. Com efeito, é quando começa a vender sua força de trabalho que o homem se define como livre, como indivíduo. A burguesia enquanto classe em ascensão defende a igualdade e a liberdade individuais, já que as novas relações de trabalho supõem o proprietário dos meios de produção e o assalariado livre para aceitar urna relação contratual pela qual vende sua força de trabalho. Com o desenvolvimento da produção, porém, instaura-se uma nova versão do individualismo, a autonomia individual. Desgastando-se com a liberação de energia no trabalho, o homem precisa garantir sua privacidade, certo isolamento que lhe possibilite recompor as energias. O culto ao individualismo é, assim uma necessidade da produção capitalista, é uma consequência da relações específicas de produção. Não interessando explicitar a verdadeiras condições em que o trabalho se dá, e o isolamento individual como consequência, esta relação trabalho/isolamento aparece como fazendo parte da condição humana, como comportamento natural. Assim fazendo, a psicologia cunhou a orientação, que continua predominando, de considerar como fatores causadores do comportamento os processos psicológicos internos (emoções, sentimentos, ideias), sem levar em conta a natureza basicamente social do ser humano e de sua consciência.

A ideia de uma essência humana pré-social concebe a personalidade humana individual como um caso particular da personalidade humana básica, o que pressupõe que cada indivíduo possui características que são universais e independem de influência do meio social, cabendo à psicologia conhecer esses traços universais. É evidente que tal ideia assume a sociedade de classes como o modelo social ideal na qual a realização individual resulta de uma perfeita harmonia entre indivíduo e sociedade. Daí a ideia corrente de *ajustamento social* aplicada à psicologia e à educação. Os padrões de comportamento a serem ensinados ou modificados correspondem à perspectiva da classe dominante, que os torna universais e, portanto, compulsórios.

Tal concepção psicológica veio a ser a própria origem do movimento da escola nova no início do século XX, inaugurando o *individualismo* na pedagogia. A descoberta da criança como personalidade livre e autônoma, que na concepção liberal da sociedade capitalista corresponde à livre iniciativa individual, marcou uma concepção pedagógica inteiramente voltada para a criança, reduzindo o papel do professor e dos programas escolares. Ao conceber a criança como possuindo os atributos universais do gênero humano, caberia à educação atualizar estes atributos naturais, desenvolver as potencialidades. Educar seria essencialmente cultivar o indivíduo, desdobrar sua natureza, propiciar o desenvolvimento harmonioso da individualidade em consonância com as expectativas da sociedade.

As consequências para a pedagogia são marcantes. Ocorreu um desprezo da cultura enquanto patrimônio da humanidade, já que é a criança que irá descobrir o saber. A ênfase nas necessidades e interesses espontâneos da criança resultou na psicologização das situações escolares ao ponto de os próprios professores passarem a explicar o comportamento dos alunos por meio de termos como inibição, bloqueios, imaturidade, agressividade etc. A supervalorização da criança ("A criança é o pai do adulto", dizia Montessori), em muitos casos, trouxe como consequência o espontaneísmo, a permissividade, a tolerância, a crença na bondade natural do ser humano. O individualismo em pedagogia acentuou-se significativamente com o desenvolvimento da psicologia humanista (existencial) que divulgou a educação como processo de adequação pessoal diante das às influências ambientais. A difusão da psicanálise, que introduz a noção do inconsciente na explicação do comportamento, também contribuiu para reforçar certas tendências da pedagogia nova.[1]

Nos últimos anos tem ganho bastante peso entre os psicólogos educacionais as chamadas teorias cognitivas, principalmente as que se preocupam com o desenvolvimento das capacidades humanas para o domínio dos conhecimentos. Esses sistemas reconhecem a aprendizagem como um processo ativo perante os estímulos externos, o meio aparece como elemento indissociável do ato de conhecer. Entretanto, não escapam à limitação comum às demais concepções, ou seja, o privilegiamento do polo individual e não ao polo dominante que é o social, isto é, as relações sociais de produção, a divisão da sociedade em classes sociais.

É sob essa ótica que são abordados os tópicos mais usuais nos manuais de psicologia educacional (estágios do desenvolvimento da criança e do adolescente, necessidades como determinantes do comportamento, processos de aprendizagem, economia da aprendizagem, situações de aprendizagem em geral, higiene mental na sala de aula etc.), ou seja, o enfoque privilegia a compreensão da criança, a autoeducação e não a transmissão/assimilação das matérias escolares.

Uma psicologia não-individualista, portanto uma psicologia voltada para as relações sociais, entende que as capacidades individuais não são inerentes à natureza humana, são antes determinadas por variáveis do mundo material externas ao indivíduo. O erro bá-

---

1. O behaviorismo é uma importante corrente psicológica também desenvolvida no início do século XX, mas sua repercussão na escola brasileira como metodologia de sala de aula ainda é bastante reduzida. Todavia, ela aparece numa formulação pedagógica eclética denominada *pedagogia tecnicista,* da qual trataremos oportunamente, neste texto.

sico da psicologia individualista é não assumir a antecedência das estruturas e dos produtos sociais da atividade humana sobre a individualidade biológica; ela não extrapola do sujeito empírico, individual, isolado, fora do contexto histórico.

Dar conta dos condicionantes sociais do ato pedagógico significa compreender o aluno como um sujeito concreto, síntese de múltiplas determinações, que dão-se num contexto histórico. "A consideração de uma dimensão histórica significa assumir que tanto os processos internos como os estímulos do meio têm um significado anterior à existência deste indivíduo, e esta anterioridade decorre da história da sociedade ou do grupo social ou, se quisermos, da cultura na qual o indivíduo nasce. Por mais que enfatizemos a unicidade, a individualidade de cada ser humano, por mais *sui generis* que se possa ser, só poderá ocorrer sobre os conteúdos que a sociedade lhe dá, sobre as condições de vida real que ela lhe permite ter" (Lane, 1980).

Como será uma nova forma de apreender as relações aluno-educador-sociedade? Como o social atua sobre o indivíduo e como este volta-se para o social para modificá-lo?

Compreender a escola na relação dialética indivíduo-sociedade significa ao mesmo tempo um processo de cultivo individual (promover mudanças no indivíduo) e de integração social (intervir num projeto de mudança social). A especificidade do pedagógico está em conseguir a realização bem-sucedida desses processos, sem perder a vinculação com o todo social, e isso se faz pela mediação entre a condição concreta de vida dos alunos e sua destinação social. Tal mediação consiste na atividade de transmissão (professor)-assimilação (aluno) de conteúdos do saber escolar.[2] O desafio ao educador está em criar formas de trabalho pedagógico, isto é, ações concretas através das quais se efetue a mediação entre o saber escolar e as condições de vida e de trabalho dos alunos.

---

2. O termo "assimilação" deve ser entendido aqui no sentido piagetiano, ou seja, um processo de incorporação de uma informação do ambiente a partir de estruturas mentais já disponíveis no pensamento. Trata-se de uma informação "trabalhada" pelos esquemas mentais acionados pelo próprio aluno ou instigados pelo professor. O termo "saber escolar" é a seleção e organização do saber objetivo disponível na cultura social numa etapa histórica determinada para fins de transmissão-assimilação ao longo da escolarização formal.

Antes, porém, de explicitar melhor os objetivos escolares visando um novo projeto de sociedade, é necessário tomar uma posição face à relação entre os determinantes sociais e a experiência individual. Pretende-se lançar algumas ideias, bastante genéricas, sobre o fato de que a experiência individual deve ser considerada dentro de um quadro social onde predominam as condições concretas materiais de existência e que essa abordagem exclui o conceito de indivíduo abstrato, de natureza humana, de personalidade básica, próprios da psicologia centrada no indivíduo.

A compreensão da natureza social da experiência individual insere-se no pressuposto mais abrangente que é a relação recíproca entre o indivíduo e a sociedade, entre sujeito e objeto. Marx afirma: "Os homens fazem, eles próprios, sua história, mas num meio dado que os condiciona". A história é, então, produto da atividade humana; entretanto, a atividade humana se desenvolve sob bases reais anteriores (conflitos, contradições, lutas) que fornecem a direção para as mudanças que vão se processando. Sobre as bases dessa realidade material intervém a atividade humana, buscando superá-las, ou seja, o que se costuma chamar de *práxis* é precisamente o movimento que eleva o homem de sua condição de produto das circunstâncias anteriormente determinadas à condição de consciência. A sociedade, portanto, contém em si mesma elementos de mudança por causa do movimento permanente de superação das contradições (a contradição principal é a relação trabalho-capital, isto é, a contradição entre o caráter social da produção e o caráter privado da sua apropriação); mas é o homem que intervém nessa mudança para superação das contradições no sentido da sua humanização.

O que se pode chamar de *natureza humana* é, então, o ser social e histórico, é o resultado da interação entre o homem e o mundo social. Os homens são "produtos ou funções de relações sociais, concretas, objetivas, dentro de uma estrutura social que determina o seu comportamento como indivíduo" (Vazques, 1977). Não se está dizendo simplesmente que o homem tem uma natureza social, mas mais do que isso: ele é um produto das relações sociais tal como se dão sob o capitalismo. Por isso, compreender o indivíduo ou buscar as causas do seu comportamento significa situá-lo no contexto de uma existência socialmente configurada, ou seja, condições de trabalho e de vida numa sociedade de classes. Significa, enfim, compreender que o lugar que ocupa na hierarquia de classes modifica diferencialmente suas percepções, sua relação com o futuro, sua relação com as instituições sociais (escola, por exemplo) e expectativas sociais em geral. Esse modo de entender as relações entre o indivíduo e a sociedade não somente rejeita a ideia de que o suporte biológico é antecedente ao psiquismo social como também a ideia de que o social se soma ao biológico. O biológico e o social não são instâncias distintas do ser humano, pois o biológico é subsumido no social. Na verdade, sobre uma condição biológica — *dada* — se constitui a condição social — *adquirida* — e sobre ambas surge a única e verdadeira natureza humana: a natureza social e histórica. Em outras palavras, a atividade humana não se reduz ao biológico, pois para se constituir como atividade *humana* é preciso que se desenvolva sobre o biológico funções novas e próprias da vida em sociedade. Mas estas novas funções não são pré-sociais como as condições biológicas, mas são criadas historicamente como produtos das interações entre os indivíduos, entre os grupos sociais, entre os indivíduos e a sociedade. Não existe, portanto, uma natureza humana definitiva, estável, como quer a psicologia corrente; ela vai se constituindo histórica e socialmente pela luta do homem com o ambiente, pela interação entre os indivíduos, pelo trabalho, pela educação.

Nas considerações feitas até aqui poderia parecer suficiente para uma psicologia voltada para o social afirmar a dimensão social do indivíduo. De fato, a pedagogia nova orientada pela psicologia funcionalista nunca cessou de esperar da educação a adaptação do indivíduo à sociedade, tanto é que destaca o papel das interações sociais no desenvolvimento intelectual. Entretanto, a psicologia centrada no indivíduo coloca a socialização como um atributo da natureza humana e evita colocar o papel da estrutura e do meio social na socialização. O termo *meio social* empregado pela psicologia corrente restringe-se ao ambiente onde se dá o processo individual de socialização, ou seja, o ambiente é o ponto de chegada, e não o ponto de partida. Na verdade, o que ocorre é que a sociedade determina as condições de educabilidade da criança, a criança já é socializada desde que nasce. As ações educativas, portanto, como são provenientes do meio social, impõem à criança propósitos e tarefas que não são, necessariamente, correspondentes ao desenvolvimento espontâneo da natureza humana individual. A educação é uma atividade de fora, externa à criança, ela é, de certa forma, uma atividade forçada, que intervém no curso do desenvolvimento do indivíduo.

E, neste ponto, chegamos novamente à pedagogia. Se o objeto da pedagogia é o indivíduo concreto, produto de múltiplas determinações e, em consequência, o que ele é e traz para a situação pedagógica depende das condições de vida real que o meio social permite que ele seja, então toda ação pedagógica pressupõe a compreensão do significado social de cada comportamento no conjunto das condições de existência em que ocorre.

Coloca-se, assim, a questão-chave: como articular uma análise estrutural, de conjunto, com a compreensão dos indivíduos e suas experiências? Como ir além do individual para apreender as implicações sociais do comportamento mas com o objetivo de voltar ao indivíduo para prepará-lo para buscar novas formas de relações sociais? Em primeiro lugar, é preciso eliminar qualquer noção de natureza humana individual, acentuando, ao contrário, que os comportamentos dos indivíduos resultam de uma realidade material (conflitos de classe e relações de produção), conforme vivida no meio social, na família, no emprego, na escola, etc. Isso significa referir os componentes psíquicos da situação pedagógica (necessidades e interesses, motivação, autoconceito, processos mentais de aquisição de conhecimentos, prontidão, fatores cognitivos etc.) a fatores estruturais amplos, isto é, relações de classe que determinam padrões específicos de respostas. Em segundo lugar, é preciso que o problemas e limitações individuais, ou seja, as desvantagens sociais que dificultam a aprendizagem, sejam compreendidos pelo aluno através da ajuda do professor (pelos conteúdos do ensino). A compreensão e a transformação do mundo pela prática social supõe efetivamente a compreensão das características mais amplas do sistema capitalista, isto é, o desvelamento dos mecanismos íntimos do processo de produção capitalista. A atividade pedagógica contribui para que o aluno vá aprendendo a explicar o real de tal forma, como escreve Vazquez, a elevar a consciência da *práxis* como atividade material do homem que transforma o mundo natural e social para fazer dele um mundo humano. O processo de mudança social não se faz sozinho nem apenas com a prática, mas também pelo conhecimento.

A escola e o saber

Os objetivos da escola se confundem com a ação exercida sobre crianças e adolescentes (principalmente), para torná-las aptas a viver numa determinada sociedade. A ação pedagógica é, assim, o traço de união entre o individual e o social. Entretanto, pelo fato de a realidade social ser histórica e, por isso, superável, é relevante perguntar-se: de que sociedade se trata? que homem se quer formar? qual o sentido da aprendizagem escolar? que significa falar em desenvolvimento da criança e do adolescente? Têm sido dadas muitas respostas a essas questões e, quaisquer que sejam elas, são marcadas por uma dimensão política, pois que os propósitos de educação individual não se separam da totalidade social onde está inserida. Com efeito, numa sociedade de classes dão-se relações sociais que são o resultado do conflito de interesses de duas classes fundamentais, sendo que uma delas, a que detém o poder econômico e político, procura conformar as instituições a seus interesses. Assim é que, no Brasil, a escola sempre esteve organizada para formar as elites sociais.

A forma pedagógica que predominou até 1920, mais ou menos, foi a *tradicional*, cujo objetivo era transmitir uma cultura geral humanística, de caráter enciclopédico. Ela sempre atendeu às camadas socialmente privilegiadas e atendeu bem; torna-se, entretanto, ineficaz quando sua clientela se diversifica devido ao acesso das camadas médias e populares.

Nas primeiras décadas do século XX, a burguesia nacional tinha interesse de que a escola se adaptasse às necessidades de desenvolvimento industrial, e para isso o currículo enciclopédico da escola tradicional já não servia. Eis aí o objetivo do movimento da escola nova: modernizar o ensino, isto é, colocá-lo a serviço das necessidades sociais. Os princípios da escola nova — respeito à individualidade da criança, desenvolvimento de aptidões naturais, aprender fazendo, atividade espontânea etc. — coincidiam com os princípios da filosofia liberal, que exigiam uma escola prática, um ensino útil para a sociedade, vale dizer, para a indústria moderna. Na escola nova decresceu o interesse pelos conteúdos das matérias em favor dos métodos, habilidades, pesquisa, com o argumento de que, desenvolvendo os processos mentais, a criança seria melhor atendida em suas necessidades espontâneas e chegaria sozinha aos conteúdos.

Essa orientação da escola nova prejudicou muito as crianças das classes populares, pois se supunha que elas já traziam de cada uma formação prévia para enfrentar um currículo na base de experiências. Com efeito, a supremacia do método ativo e intuitivo favorecia aquelas crianças que tinham experiências familiares mais ricas e sistematizadas e prejudicava as que tinham na escola a única chance de acesso ao saber. Os professores, por sua vez, foram desobrigados de dominar o conteúdo das matérias, ganhando peso o domínio das técnicas de ensino.

O atendimento, portanto, continuou precário, e caiu por terra o propósito apregoado pela escola nova de promover a igualdade de oportunidades. Enquanto isso, continuaram os elevados índices de evasão e repetência, embora persistisse a reivindicação da população por mais escolas. É o momento de colocar em ação um modelo pedagógico de escola que viesse a reduzir as pressões, atendesse o máximo de crianças e com o menor custo possível, além de atender aos interesses da classe empresarial. A *pedagogia tecnicista* não rompe com a pedagogia tradicional (que nunca deixou de existir) e nem com a pedagogia nova, e introduz na escola os objetivos preestabelecidos para uniformizar o ensino, acentuar as técnicas, simplificar os conteúdos, comprometendo mais ainda a qualidade.

Esse breve esboço da evolução histórica da escola permite compreender como a ação pedagógica acompanha as formas pelas quais a sociedade é organizada. Ora, se o que caracteriza a sociedade são as relações entre as classes sociais, que são relações de contradição em função de interesses que são distintos, conclui-se que essa contradição também existe na escola, já que ela é uma manifestação particular da sociedade. É possível, então, considerá-la como "uma das mediações pela qual se efetua o conflito entre as classes sociais, uma interessada na reprodução da estrutura de classes tal qual é, outra cujos interesses objetivos exigem a negação da estrutura de classes e a supressão da dominação econômica" (Mello, 1982). Portanto, a escola tanto pode se organizar para negar às classes populares o acesso ao conhecimento como para garanti-lo; se assume o papel de agente de mudança nas relações sociais, cabe-lhe instrumentalizar os alunos para superar sua condição de classe tal qual mantida pela estrutura social.

Portanto, uma escola que se proponha a atender os interesses das classes populares terá de assumir suas finalidades sociais referidas a um projeto de sociedade onde as relações sociais existentes sejam modificadas. Isso significa uma reorganização pedagógica que parta das condições concretas de vida das crianças e sua destinação social, tendo em vista um projeto de transformação da sociedade, e aí se insere a função da transmissão do saber escolar. Em outras palavras, ao lado de outras mediações, é a aquisição de conhecimentos e habilidades que, assumindo formas pedagógicas, garantirão a inserção das classes populares num projeto amplo de transformação social.

A perspectiva que se propõe aqui é uma nova maneira de compreender os elementos da ação pedagógica: o aluno, o educador, a sociedade. Com efeito, a pedagogia tradicional caracteriza-se por privilegiar o polo da tradição constituída, onde o saber é transmitido unilateralmente, sem possibilidade de se questionar seu sentido e função face às realidades sociais. A pedagogia nova não lida com o saber enquanto tal por entender que sua busca deva ser espontânea, por um processo de descoberta da criança. Além disso, essa pedagogia extrapola as funções específicas da escola quando pretende abarcar muitas dimensões do desenvolvimento humano. Por outro lado, certas posições mais críticas ora negam o valor à escola atual devido à sua condição de reprodutora das relações sociais vigentes, ora restringem seu papel à discussão da experiência vivida pelas classes populares a fim de possibilitar-lhes adquirir uma consciência política. Uma pedagogia social voltada para os conteúdos culturais entende que há saberes universais que se constituíram em domínios de conhecimento relativamente autônomos incorporados pela humanidade e que devem ser permanentemente reavaliados face às realidades sociais, através de um processo de transmissão-assimilação-reavaliação crítica. O objetivo da escola, assim, será garantir a todos o saber e as capacidades necessárias a um domínio de todos os campos da atividade humana, como condição para redução das desigualdades de origem social.

Este é o núcleo da ação pedagógica cujos mecanismos íntimos devem ser bem compreendidos a fim de possibilitar suas interfaces com as dimensões psicológica e social.

Ação pedagógica: conceitos e objetivos

O que é a pedagogia? Qual é seu objeto? O que configura uma situação pedagógica? São questões sobre as quais os educadores estão longe de ter um consenso. Entretanto, para trilhar um caminho que leve a clarear a especificidade do ato pedagógico, pode-se partir da afirmação de que a pedagogia é a teoria e prática da educação e, portanto, seu objeto é a educabilidade do ser humano, ou melhor, o ser humano a ser educado. Educar (em latim, *e-ducare*) é conduzir de um estado a outro, é modificar numa certa direção o que é suscetível de educação. O ato pedagógico pode, então, ser definido como uma atividade sistemática de interação entre seres sociais, tanto a nível do intrapessoal quanto a nível da influência do meio, interação essa que se configura numa ação exercida sobre sujeitos ou grupos de sujeitos visando provocar neles mudanças tão eficazes que os torne elementos ativos desta própria ação exercida. Presume-se, aí, a interligação no ato pedagógico de três componentes: um *agente* (alguém, um grupo, um meio social etc.), uma *mensagem* transmitida (conteúdos, métodos, automatismos, habilidades etc.) e um *educando* (aluno, grupos de alunos, uma geração etc.). (Mialaret, 1976).

Chamemos esses componentes de A (agente), M (mensagem) e E (educando). O movimento A = M – E não é unidirecional, pois a ação de A sobre E pode retornar de E para A, inclusive pela reavaliação de M. Entretanto, o retorno de E para A somente existe porque A veiculou *antes* uma mensagem M. Ou seja, A tem por pressuposto objetivos prévios em relação a E, além de que as relações A-E são assimétricas, porque não são da mesma natureza.

O especificamente pedagógico estaria, assim, na imbricação entre M e E, propiciada pela ação de A, pois somente A poderia garantir a adequação entre o conteúdo de M e as condições de assimilação de E. Ou seja, a ação pedagógica somente se completa quando a mensagem M tem um efeito tal sobre o educando E de tal forma que se evidencie a participação deste em M.

Este esquema permite identificar certas características do ato pedagógico que são relevantes para as situações pedagógicas. Em primeiro lugar, implica uma "ação sobre" o indivíduo ou grupo de indivíduos, de tal forma que, ao termo dessa ação, o educando corresponda tanto quanto possível à imagem que se faz de *homem educado*. Esta ação, entretanto, não é arbitrária, mas decorre da função socializadora da escola, representada pelo professor. Com isso se quer dizer que o ato pedagógico é o meio pelo qual se torna possível a ligação de reciprocidade entre indivíduo e sociedade.

Enquanto instância mediadora (entre outras), a ação pedagógica tem um caráter intencional, de convencimento, face à transmissão de um conhecimento que viabilizará a inserção do aluno na sociedade de forma crítica. Isso leva a admitir que o ato pedagógico supõe a desigualdade entre professores e alunos no ponto de partida para se caminhar à igualdade no ponto de chegada. Considerar que alunos e professores são iguais face a um conteúdo objetivo externo a ambos torna sem sentido a ação pedagógica. A ação pedagógica, o processo educativo, é um meio para se chegar a algo, sendo esse *algo* os conteúdos culturais. É por esse caminho que se chega à noção de educação como uma atividade mediadora no seio da prática social global, ou seja, uma das mediações pela qual o aluno, pela sua participação ativa e pela intervenção do professor, passa de uma experiência social inicialmente confusa e fragmentada (sincrética) a uma visão sintética, mas organizada e unificada (Saviani, 1982).

Com efeito, de um lado há o *aluno*, socialmente determinado, pertencente a uma classe social, que domina um saber não sistematizado, valores, gostos, falas, interesses, necessidades, enfim, portador de uma primeira educação adquirida no seu meio sociocultural. Esta realidade é o referencial concreto de onde se deve partir para o domínio do conteúdo estruturado trazido pelo *professor*, que, por sua vez, é o representante do mundo social adulto, com mais experiência e mais conhecimentos em torno das realidades sociais e com o domínio pedagógico necessário para lidar com os conteúdos, cuja função consiste em guiar o aluno em seus esforços de sistematização e reelaboração do saber.

Em segundo lugar, a ação pedagógica, porque lida com o ser humano educável, refere-se a um objeto aberto à expansão, portanto modificável, pois seu efeito está precisamente em tornar o aluno sujeito de seu próprio conhecimento. O ato pedagógico contém em si não só a dimensão *do que* é (o transmitido, o reproduzido) como também a dimensão *do que pode ser* (a inovação, a reelaboração). Aí está uma das dificuldades de conhecimento e apreensão do objeto-educação: ele é inconcluso, no sentido de que "vai se gerando no curso da experiência dos homens como indivíduos e como conjunto" (Sacristán, 1983), ou seja, vai sendo construído em decorrência da própria prática educativa. Este acentua, novamente, o caráter social e histórico do ser humano, isto é, a historicidade do objeto faz com que ele não *seja* definitivamente, mas *esteja* sempre inacabado.

É neste sentido que o ato pedagógico assume uma dimensão valorativa, ideológica, para além de seus componentes metodológicos e técnicos. "Em contraposição a outras ciências, as ciências da educação não é que não possam já se despojar de um certo componente ideológico próprio de todo trabalho científico, mas esse mesmo componente é o que as justifica. (...) A força desse componente utópico é a que deve comandar a parte do objeto ainda não configurado, embora ajudado por outros conhecimentos teóricos, mas não unicamente por eles." (Sacristán, 1983).

Esse raciocínio permite insistir no fato de que as crianças precisam adquirir do professor conceitos necessários e utensílios intelectuais para um domínio seguro do saber escolar e eliminar ideias muito difundidas entre os professores de que os conteúdos devem "sair deles", qualquer livro é bom, enfim, acreditando em interesses transitórios como os que são captados nas revistas em quadrinhos, televisão, formas de "democratização" do ensino mais uma vez segregativas.

Em terceiro lugar, a mensagem são os conteúdos culturais, mas que abrangem também os métodos de sua apropriação como, de resto, o discurso verbal de professores e alunos, os gestos, os livros didáticos. O método de apropriação dos conteúdos consiste na própria lógica do processo de conhecimento. Ao fazer da experiência social das crianças a própria trama da experiência educativa sobre a qual se introduz o conteúdo científico das matérias, não para destruir a experiência prévia, antes para elevá-la, está-se concebendo o conhecimento como uma atividade inseparável da prática social. A atividade teórica é o processo que, partindo da prática, nos leva a "apreender" a realidade objetiva para, em seguida, aplicar o conhecimento adquirido na prática social, para transformá-la. A introdução de conhecimentos e informações não visa, portanto, o acúmulo de informações, mas uma reelaboração mental que se traduzirá em comportamentos práticos, numa nova perspectiva de ação sobre o mundo social, levando efetivamente à passagem do individual ao social. Da prática para a teoria, para regressar à prática: é um movimento de *continuidade* do já experimentado e aprendido; mas essa continuidade é reavaliada criticamente por meio da *ruptura* propiciada pelo saber organizado trazido pelo professor, o que alimentará novamente a prática e assim sucessivamente.

Este processo de ida e volta entre a teoria e a prática permitirá um trabalho conjunto professor-aluno para compreensão e enfrentamento das características mais amplas das relações capitalistas de produção, que resultará gradativamente, ao lado de outras práticas sociais, no desenvolvimento da consciência de classe. Isso significa tomar posição diante do conhecimento como uma forma insubstituível de apreender a dinâmica da sociedade de classes.

Chega-se, assim, às finalidades de ação pedagógica das quais resultam princípios psicológicos acerca do ser que aprende e dos processos de aprendizagem. Segundo Mialaret, "a ação pedagógica, necessariamente exercida no quadro de uma situação pedagógica (uma só existe pela outra e reciprocamente), induz condutas, prova e utiliza processos psíquicos nos educandos. A psicologia da educação pode, pois, ser considerada como o conjunto dos estudos dessas condutas e desses processos, provocados ou utilizados pela atividade pedagógica". O psicólogo educacional, por conseguinte, "deve ser competente ao mesmo tempo no domínio da psicologia e no da Pedagogia, uma vez que as condutas por estudar se desenvolvem sob a influência de condições pedagógicas" (1974).

Dentro da preocupação com uma escola voltada para a redução das desigualdades sociais, a retomada da noção de educação como favorecimento das condições de apropriação efetiva dos conteúdos culturais pode se inscrever, numa perspectiva global, na noção da educação cognitiva articulada com os antecedentes sociais dos alunos. Enquanto a pedagogia tradicional priva o aluno da iniciativa por transmitir-lhe conteúdos sem chance de reelaborá-los, a pedagogia nova pressupõe na criança um *apetite pelo saber* que leva-a a construir seu próprio conhecimento ignorando o fato de que ele já se encontra estruturado na forma de cultura. A pedagogia social crítica assume a interestruturação entre um *sujeito* que procura conhecer e os *objetos* aos quais se refere esse conhecimento. Ou seja, trata-se de uma posição de síntese, pois garante compreender o processo de conhecimento como intervenção do sujeito no mundo objetivo e a modificação do sujeito em decorrência de sua ação sobre esse mundo objetivo, sendo que essa objetividade se redefine como adequação do conhecimento a uma ação prática sobre o mundo social. Trata-se de investir todos os esforços nas possibilidades da escola em obter o máximo possível de desenvolvimento a todas as crianças, contribuindo para o sucesso individual (domínio do saber e personalização) e o sucesso social (capacidade de se integrar na sociedade e agir sobre ela).

a) Uma psicologia das relações sociais

O que acontece com a psicologia ocidental é o seu compromisso com o individualismo, portanto com uma criança abstrata, sem referir aos determinantes histórico-sociais e ao contexto em que vivem e trabalham os indivíduos. A psicologia das relações sociais está por fazer, mas é possível estabelecer um caminho pelo qual se possa atender à experiência individual concreta, isto é, o indivíduo em relação à sua existência material. Marx escreveu: "A produção de ideias, de representações e da consciência está em primeiro lugar direta e intimamente ligada à atividade material e ao comércio (intercâmbio) material dos homens; é a linguagem da vida real. (...) São os homens que produzem suas representações, suas ideias etc., mas os homens reais, atuantes e tais como foram condicionados por um determinado desenvolvimento das suas forças produtivas e do modo de relações que lhe corresponde, incluindo até as formas mais amplas que estas possam tomar".

Assim sendo, o ponto inicial de qualquer plano de ensino é a consideração dos antecedentes sociais e mais do que isso: trata-se de levar em conta, no trabalho pedagógico com as crianças da escola pública, as práticas de vida das quais participam e as relações sociais que as sustentam. Com efeito, são as condições sociais concretas (de vida e de trabalho) que determinam necessidades, interesses, atitudes, autoconceitos, assim como impõem certos limites para o desenvolvimento das capacidades envolvidas no ato de aprender.

Há alguns anos difundiu-se uma proposta de intervir nos antecedentes sociais inibidores da aprendizagem escolar, a educação compensatória; esta abordagem, porém, apresenta as crianças pobres como portadoras de negatividades — carenciadas, desfavorecidas —, sempre comparadas com o grupo social que não possui essas desvantagens. Seu objetivo seria, então, colocar estas crianças no mesmo nível das outras tidas como normais, ignorando não só as razões de natureza estrutural que estão por trás das carências, mas também negando que elas sejam portadoras de uma experiência social própria de sua classe social de origem.

Outra ideia, oposta à anterior, apresenta as crianças pobres como portadoras de uma cultura e de um modo de vida suficientemente ricos que não teriam necessidade de assimilar um tipo de saber erudito. Esta posição afirma que a educação deve partir da realidade como ela é, levando em conta o meio cultural, a linguagem, os valores da população, e com isto tendem a preservar as atuais circunstâncias de vida. É preciso, porém, levar em conta que as classes populares nem são depositárias de uma nova cultura (tudo o que vem do povo é bom) e nem inferiorizadas, desfavorecidas, a quem cabe dar uma assistência tipo caritativa. O que se propõe é uma ação pedagógica que apreenda a experiência social das classes populares, extraindo o que há de positivo, não para mantê-las no estado em que se encontram mas para aumentar seus conhecimentos e alargar suas práticas.

Uma ação pedagógica consequente supõe, portanto, investigações que mostrem como se dão as condições de maturação dessas crianças e, simultaneamente, formas de solicitações sociais do meio (as múltiplas mediações) que venham a mobilizar a atividade da criança para desenvolver suas capacidades de relação com o saber escolar. Em outras palavras, é preciso transformar o meio sociocultural das crianças em objeto de estudo, já que ele fornece as bases para o trabalho escolar.

Investigações em torno de antecedentes sociais permitiriam esclarecer certas questões que desafiam os educadores:
— até que ponto o insucesso escolar deve ser atribuído a deficiências de ordem intelectual?
— por que há descompasso entre a incompetência da criança nas atividades escolares e a capacidade revelada em outras atividades?
— qual é, de fato, a extensão das desvantagens socioculturais que as crianças pobres efetivamente carregam?
— um meio escolar estimulante, em vários sentidos, contribuiria para melhoria das aprendizagens na mesma intensidade com que as crianças de meios mais favorecidos aprendem?
— como, efetivamente, as desvantagens poderiam se transformar em pontos de apoio para deslanchar a ação educativa?
— é possível manter os mesmos parâmetros da cultura padrão das classes socialmente favorecidas para, por métodos adequados, trazê-los para as classes populares?

b) Pré-requisitos para a aprendizagem
Pré-requisitos referem-se aqui a suportes psicológicos e sociais prévios requeridos das crianças para que possam apropriar-se de conhecimentos e habilidades que precisam ser dominados. Trata-se do que comumente se chama de *prontidão*, mas num sentido mais amplo. Buscar apoios pedagógicos nas próprias condições sociais concretas da criança é uma forma de colher os meios de levar uma criança com dificuldades escolares a interessar-se pelas atividades, a ter vontade de aprender, a dedicar-se aos estudos. Ou seja, transformar as desvantagens no seu contrário.

Parece, assim, fora de dúvida que o ato pedagógico começa com uma atitude e aqui é uma nova abordagem da motivação e do autoconceito que se espera. Ou o professor se apoia num interesse disponível na criança, ou a atitude favorável às atividades escolares precisam ser provocadas, desenvolvidas. Se um dos caminhos seria a ligação com experiências de vida, é preciso levar em conta que uma boa parte das crianças não possui perspectivas de futuro e nesse caso a escolaridade pode não fazer muito sentido. Como da qualidade da motivação inicial depende o êxito de outros processos colocados em ação pelo professor, é preciso despertar nele a vontade de crescer, de ir para a frente, ter uma esperança no futuro. O trabalho pedagógico, aí, não poderá restringir-se a métodos ou mesmo criar atividades estimulantes, mas deve intervir no nível de aspiração, oferecer modelos de identificação que possam mostrar suas possibilidades. Ou seja, é preciso que a criança chegue a uma elaboração psicológica e individual a respeito de qualquer coisa que esteja na sociedade, exterior a ela: modelos atraentes de adultos? conhecer operários militantes? tomar consciência do papel da classe operária na mudança social? livros de leitura? festas? participação em grupos e associações na própria escola? São meios que podem ser usados a fim de que os alunos das classes populares dominem a situação desfavorável e superem o fatalismo de sua condição de origem. A escola é também um meio de vida da criança, aí também se constrói sua personalidade, pela provocação de mecanismos psicológicos indispensáveis para que a criança invista positivamente em sua escolaridade.

O que significa aceitar que as lacunas e carências efetivamente existem e, frequentemente, talvez fosse o caso de levar a criança a tomar consciência desses determinantes que pesam sobre ela — fazendo-a falar, expressar-se, desdramatizar suas próprias condições de vida — bem como das possibilidades de modificação da situação, transformando a desvantagem em alavanca de aculturação.

Trata-se de campos pouco explorados pela psicologia educacional e que desafiam a investigação em cima de uma nova prática pedagógica e a partir dessa mesma prática.

Evidentemente, os pré-requisitos não se resumem à área afetiva. Há aspectos socioculturais que efetivamente comprometem a relação positiva das crianças com certos setores da escola, como as artes, a poesia, as ciências, e que somente o provimento de certas condições na própria escola incentivariam essa disponibilidade: bibliotecas, visitas a museus, livros, fotografias, discos etc.

A preparação cognitiva, propriamente dita, impõe a adequação metodológica do que já foi mencionado atrás: partir do que a criança já sabe, valorizar o conhecimento já disponível, seja qual for, procurar mostrar-lhe que uma ruptura desse conhecimento prévio contribui para o seu desenvolvimento, enfim, articular o desconhecido com o conhecido. A própria discussão em grupo (tão usada e tão malfeita hoje em dia) permitirá à criança clarificar seu pensamento e sua linguagem aumentando seu poder de dar forma ao real. Neste sentido, são oportunas as classes de recuperação, que serão abordadas mais adiante.

c) Os conteúdos-métodos
Os conteúdos-métodos de apropriação ativa do saber implicam uma relação dinâmica entre a ação cientificamente fundamentada do professor e a vivência e participação do educando. É preciso rever as normas pedagógicas vigentes (currículos, programas, avaliação) face às necessidades da clientela. O ato pedagógico visa, também, a transformação das estruturas psíquicas existentes ou criação de estruturas novas. Trata-se aqui de verificar quais as disposições exigidas e exercidas por cada uma das matérias de ensino. Parece existir hoje um consenso entre os educadores de que, ao lado da consideração dos estágios de desenvolvimento cognitivo, se pode avaliar as possibilidades de acelerar o desenvolvimento dessas estruturas. Como situar essa proposição em relação às crianças das camadas populares?

Por outro lado, a ênfase na aprendizagem de sala de aula por meio da transmissão e reelaboração de conteúdos parece ser compatível com a noção de aprendizagem significativa proposta por Ausubel (1980) e com a noção de estrutura das matérias proposta por Bruner (1968). Outros campos de estudo correlatos — a psicologia da memória, a formação de hábitos e automatismos, os processos de aquisição da linguagem — instigam a investigação do psicólogo educacional.

d) O meio escolar
O meio escolar deve ser um lugar que propicie determinadas condições que facilitem o crescimento, sem prejuízo dos contatos com o meio social externo. Há dois pressupostos de partida: primeiro, é que a escola tem como finalidade inerente a transmissão do saber e, portanto, requer-se a sala de aula, o professor, o material de ensino, enfim, o conjunto das condições que garantam o acesso aos conteúdos; segundo, que a aprendizagem deve ser ativa e, para tanto, supõe-se um meio estimulante.

O meio educativo compõe-se do *meio material* (a realidade material concreta da escola, da classe e da realidade social), *meio pessoal* (as intercomunicações existentes entre as diferentes pessoas envolvidas na situação escolar incluindo as posições sociais das pessoas e as comunicações que se dão) e *meio institucional* (síntese dos demais fatores que compõem o meio educativo, incluindo instâncias externas à escola).

O conjunto desses fatores compõe o ambiente global da aprendizagem que tanto pode inibir e bloquear o trabalho pedagógico quanto pode ser o quadro motivador que possibilite o desenvolvimento das capacidades e poderes das crianças.

Um dos aspectos a ressaltar são os arranjos ao nível das estruturas de organização das classes. A questão homogeneidade heterogeneidade pode ser resolvida pela formação de classes etárias heterogêneas, ao lado de grupos homogêneos para recuperação (aquisição de automatismos, melhora da leitura, consolidação de um conceito). É possível realizar-se esse trabalho num momento das aulas, quando os alunos poderiam ser separados em grupos distintos: alunos sem dificuldades, que trabalhariam individualmente, os médios e os mais fracos, que trabalhariam com a ajuda de dois professores em torno das dificuldades apresentadas. Paralelamente, outra forma de organização seriam os grupos espontâneos em torno de clubes ou associações: esportes, artes, trabalhos manuais etc.

Entretanto, o principal fator de um meio escolar estimulante é o professor (e, talvez, esteja aí um sério fator comprometedor da eficácia da escola pública, já que ele também carece de estimulação). Sobre ele escreveu Zazzo: "Os professores têm espontaneamente tendência a explicar pela inteligência a situação do mau aluno, secundariamente pela preguiça, muito raramente pelas condições de vida da criança, e, menos ainda por sua má pedagogia: não é afirmação gratuita, mas o resultado de sérios inquéritos" (1974). É comum os professores levarem em conta apenas o aspecto intelectual dos alunos, considerando o insucesso como fenômeno individual, ou seja, o mau resultado escolar decorrente de condições sociais é algo "natural". Resulta daí uma expectativa negativa face ao desempenho irregular daquele aluno que não corresponde ao seu trabalho.

A condição de êxito do trabalho escolar supõe um professor com uma formação científica de alto nível, formação que inclua, também, uma clara compreensão dos mecanismos do insucesso escolar.

Psicologia na escola

De acordo com a perspectiva segundo a qual o domínio específico da psicologia educacional (isto é, os processos psíquicos implicados no ato pedagógico) resulta das situações pedagógicas, sua atuação na escola pode dar-se em três níveis:

— pelo próprio professor, como "psicólogo" em ação;
— pelo supervisor/orientador educacional;
— pelo próprio psicólogo em Centros de Saúde ou organizações comunitárias.

O último nível apontado suporia a existência de serviços especializados seja para atendimento de casos especiais de alunos com problemas de aprendizagem seja para eventual assistência às escolas (pesquisa pedagógica, treinamento em serviço, programas de recuperação nas matérias etc.). Como o interesse deste capítulo são as possibilidades institucionais da escola não há maiores comentários sobre este nível.

Os professores da escola pública, em geral, são céticos quanto às possibilidades de auxílio da psicologia, principalmente os que já têm uma larga experiência de sala de aula. Muitos professores chegam a recusar qualquer auxílio técnico posto à sua disposição por desacreditar de sua eficácia. Há outros que aceitariam de bom grado os aportes da psicologia se ela realmente atendesse à problemática do ensino. Há, ainda, um numeroso grupo que, mesmo disposto a acreditar na criança e na escola, sentem-se impotentes em face das condições de vida e de trabalho produzidas por uma sociedade segregativa e discriminadora. Por fim, de uma forma ou outra, paradoxalmente, a grande maioria dos professores é largamente influenciada pelo psicologismo que os leva a transformar os comportamentos das crianças em manifestações psicológicas, o que levou Wallon a escrever que "a introdução da psicologia na licenciatura deveria ter menos a característica de matéria de ensino e mais a de acautelar os professores contra certos *slogans* psicológicos e levá-los a tirar de sua própria experiência conclusões instrutivas para o próprio psicólogo" (1975).

A posição segundo a qual a escola pública deve orientar-se, predominantemente, para o ensino das matérias escolares, implica assumir que os apoios pedagógicos devem ser buscados nas variáveis que afetam diretamente a aprendizagem escolar. Isso significa acreditar que não há oposição entre ensino centrado no aluno e ensino centrado no professor ou nos programas, mas uma continuidade. Se por um lado é a criança que aprende como sujeito de sua própria aprendizagem, por outro, a condução do ensino é responsabilidade do professor e da escola. Não existe apetite inato de aprender: uma coisa é reconhecer interesses e necessidades nas crianças e reorientá-las para que participem ativamente na aprendizagem, outra coisa é entregar a responsabilidade dos conteúdos à espontaneidade das crianças.

O professor, assim, é primordial, e o que se exige é, antes de tudo, uma formação científica que abranja o domínio de sua matéria, de métodos e recursos de ensino e, na psicologia, o conhecimento dos mecanismos geradores do insucesso escolar, especialmente os decorrentes da condição de origem das crianças. Sem essa formação, uma boa parte do discurso proferido neste texto terá sido inútil.

No que se refere ao ensino da psicologia, trata-se de articular seus princípios e explicações com a prática cotidiana do professor, para que ele próprio os transforme em métodos e conteúdos. Levar em conta a problemática real da escola significa: classes numerosas, condições desiguais nos pré-requisitos para a aprendizagem, motivação e interesses vinculados a perspectivas de classe social, problemas de comunicação e entendimento professor-alunos, indisciplina, inadequação de programas etc. A orientação do ensino se torna psicológica quando pretende adaptar-se ao aluno. Na verdade, não se estaria errando muito se se pudesse extrair o conteúdo da psicologia da observação atenta de como certos professores conseguem aproximar-se dos interesses, compreensão e linguagem das crianças sem sacrificar a tarefa de ensinar (e até como forma de ensinar), o que Wallon chama de "poder espontâneo de simpatia intelectual", e que infelizmente não pertence a todos.

O segundo nível de atuação da psicologia na escola se dá através do supervisor/orientador educacional. O autor não faz distinção relevante entre supervisor pedagógico e orientador educacional; quanto mais cresce a convicção da unidade do ato pedagógico na sua diversidade, menos sentido faz a fragmentação do atendimento ao professor e ao aluno; algo parecido se poderia dizer do próprio diretor de escola.

A presença desses profissionais na escola, desde que tenham competência, é imprescindível para o funcionamento escolar. Embora haja um número considerável de tarefas que desempenham no conjunto da escola, será destacado aqui apenas o aspecto do professor e suas relações com os alunos. Com efeito, o supervisor-orientador atua como auxiliar do professor na sala de aula, dando assistência a problemas de aprendizagem, relacionamento professor-alunos, adequação conteúdos-métodos às condições socioculturais e psicológicas das crianças, atividades de sensibilização visando mudança de atitudes e expectativas etc.

Os professores esperam muito da equipe técnica, desde que sejam efetivamente apoiados. Eles enfrentam, por exemplo, o problema da solidão. São solicitados a dar muito, mas recebem pouco. Seu trabalho é a longo prazo e nem sempre podem experimentar a alegria de ver os alunos corresponderem ao seu trabalho. São raros os momentos na escola em que possam trocar ideias com seus colegas, e as escolas não incentivam nem favorecem a formação de equipes de professores, mesmo porque o trabalho de sala de aula é tão absorvente que às vezes quanto menos se falar de aluno, melhor.

Os professores reclamam, também, a preparação deficiente dos alunos dos anos anteriores, e isso gera ansiedade e afastamento entre os colegas. Outros manifestam uma permanente aversão e antipatia pelos problemas manifestados pelos alunos. A falta de entendimento entre professores e alunos, a indisciplina, a não correspondência entre as expectativas de uns e outros são alguns fatores que provocam frequentemente reações emocionais intensas.

O que é possível fazer? Como adequar conteúdos-métodos para que se articulem com as condições dos alunos? Eis algumas ideias:

— reforçar o conteúdo científico do ensino e investigar métodos de apropriação que permitam articulação teoria-prática social;

— considerar o meio social de origem dos alunos como ponto de partida para as reelaborações dos conteúdos-métodos; estudar as características socioculturais e psicológicas das crianças das classes populares a fim de poder avaliar suas disposições intelectuais, suas características positivas bem como as limitações efetivamente existentes, superando o enfoque da educação compensatória;

— atuar na modificação das expectativas e atitudes dos professores frente ao insucesso escolar das crianças mais pobres;

— estimular a formação de equipes de professores onde se torne possível um projeto comum de construir uma escola democrática para redução das desigualdades escolares por razões de origem social;

— incentivar, ao menos, a atitude de pesquisa pedagógica que permita inovações e avanços;
— assumir o meio escolar como o conjunto das disposições materiais, físicas, humanas e institucionais que garantam o clima necessário ao desenvolvimento melhor passível, a partir da experiência social e cultural vivida pela criança;
— auxiliar os professores no manejo de classe e controle da disciplina a partir de uma melhor compreensão do comportamento do aluno em suas implicações de natureza social, habilidades de condução de grupos numerosos etc.;
— fazer uma revisão de conjunto da adequação de conteúdos métodos face às disponibilidades psicológicas e sociocultural das crianças, bem como dos pré-requisitos de natureza cognitiva trazidos pelas crianças.

A formação psicológica do educador incluiria, pelo menos, os seguintes tópicos:

1) determinantes socioculturais da ação pedagógica. Universo cultural dos alunos e da escola. Meio sociocultural e disposições psicológicas. Condições sociais de vida e de trabalho das classes populares. Aspectos do desenvolvimento físico e cognitivo. O ambiente escolar;
2) componentes psicológicos. Motivação, autoconceito, atitudes. Processos mentais de aquisição de conhecimentos, a comunicação docente. Aprendizagem signitiva. Capacidades exigidas pelas matérias de estudo;
3) Psicologia social: percepção e expectativas de papéis em termos de classes sociais. Manejo de grupos numerosos.

Bibliografia

Ausubel, David *et alii*, *Psicologia educacional*, Rio de Janeiro: Interamericana, 1980.
Bruner, Jerome S., *O processo da educação*, São Paulo: Nacional, 1968.
Charlot, Bernard, *A mistificação pedagógica*, Rio de Janeiro: Zahar, 1979.

Corrigan, P. e Leonard, P., *Prática do serviço social no capitalismo*, Rio de Janeiro: Zahar, 1979.
Cury, Carlos R. J., *Educação e contradição: elementos metodológicos para uma teoria crítica do fenômeno educativo*, São Paulo: Tese de doutorado, 1979.
Debesse, M. e Mialaret, G., *Tratado das ciências pedagógicas: Psicologia da educação*, vol. 4, São Paulo: Nacional, 1974.
Gfen (Grupo Francês de Educação Nova), *Aproveitamento escolar. Que pedagogia?*, Lisboa: Editorial Caminho, 1978.
Lane, Silvia T. M., "Redefinição da psicologia social", *in Educação e sociedade*, São Paulo: nº 6.
Libâneo, José C., "Tendências pedagógicas e prática escolar", *in Revista da ANDE*, ano 4, nº 6, 1983.
Martins, Joel, "O psicólogo escolar", separata da *Revista de psicologia normal e patológica*, São Paulo, 1970.
Mialaret, G., *As ciências da educação*, Lisboa: Moraes, 1976.
Mello, Guiomar N. de, "Pesquisa em educação: Questões Teóricas e Questões de Método, *Cadernos de pesquisa*, da Fundação Carlos Chagas, 40, fev.,1982.
Mello, Guiomar N. de, "Educação e classes populares", *Revista da ANDE,* ano 4, nº 61, 1983.
Merani, Alberto L., *Psicologia e pedagogia*, Lisboa: Editorial Notícias, 1977.
Sacristán, José G., "Explicação, norma e utopia nas ciências da educação", *Cadernos de pesquisa*, Fundação Carlos Chagas, São Paulo: 44, fev. 1983.
Saviani, Dermeval, *Escola* e *democracia*, São Paulo: Cortez Ed./ Autores Associados, 1983.
Snyders, George, *Para onde vão as pedagogias não-diretivas?*, Lisboa: Moraes, 1981.
Wallon, Henri, *Psicologia* e *educação da infância*, Lisboa: Editorial Estampa, 1975.

O psicólogo clínico

Alfredo Naffah Neto

Ser um psicólogo clínico: sonho de tantos mil vestibulandos antes mesmo de adentrar as portas de uma faculdade de psicologia. De fato, a clínica fascina e atrai, como a fantasia de algo importante e misterioso. Lembro-me do olhar de respeito e, ao mesmo tempo, de sofreguidão com que eu a namorava nos idos da década de 1960, quando era ainda um estudante de psicologia. Era algo assim como a noiva esperada há tantos anos e que eu deveria conquistar com maestria e competência. Imaginar-me sentado numa sala e tendo diante de mim... um *cliente*!... Puxa! Não era brincadeira não! Alguém que iria depositar *no meu saber* os destinos da sua vida! Isso me fazia importante e poderoso. E era como uma autoafirmação para as minhas inseguranças de adolescente.[1] Mais tarde acabei, de fato, desposando a clínica e, como em todo casamento, tive de apreender, na convivência do cotidiano, a desmistificar os dotes "sobrenaturais" de tão afamada dama. E conseguir conviver com ela num nível mais real.

Comecemos pelo *psicodiagnóstico*, tão valorizado nos meus tempos de aluno. Saber aplicar e interpretar os testes do Rorschach era algo fundamental; o primeiro sinal de que tínhamos "sensibili-

---

1. Cabe lembrar ao leitor que, nessa época, ser psicólogo clínico e psicoterapeuta era algo que envolvia, para nós, anos e anos de formação. Jamais pensaríamos — como hoje se faz — em terminar a faculdade e já iniciar uma prática clínica sem um curso de especialização.

dade" e aptidão para o ramo. Do T.A.T. então, nem se fale! Já exigia maiores conhecimentos. Sentia-me um pouco como um aprendiz de feiticeiro. E não tinha qualquer consciência crítica dos pressupostos que tais práticas envolviam. Só mais tarde, no mestrado em Filosofia, lendo Michel Foucault, vim a fazer a crítica da psicometria. A começar pelo uso das tabelas estatísticas, tão valorizadas, então; uma espécie de emblema da *cientificidade* do teste. "Se o teste foi validado e padronizado para a população em questão, então tem valor científico", diziam todos. E tome estatística! Mas ninguém se perguntava o que significava pautar as noções de *normal* e *patológico* pelos valores médios de uma população. Ninguém percebia que a *média*, enquanto símbolo abstrato de uma normalidade, era também símbolo da mediocridade e da unidimensionalidade do nosso modelo de homem. Ser normal (e, portanto, não-neurótico) significava ser médio em tudo (ai de quem passasse do desvio-padrão!). E com esse princípio não questionado, não percebíamos que a padronização do teste implicava diretamente um princípio de padronização do homem. Que o que chamávamos de "saúde mental" era algo que tinha a ver com um homem padrão: não mais respostas emocionais do que a média da população, não mais respostas globais ou de detalhes do que reza a tabela de normas do teste de Rorschach. Saudável é o homem médio, o que quer dizer, o homem medíocre, o homem que não se desvia das normas, o homem adaptado à realidade. E, por incrível que pareça, ninguém se perguntava por essa realidade, se ela era boa ou ruim, justa ou injusta. E estávamos nos anos 1960, pico da ditadura militar e do Terror no Brasil! Um início de consciência crítica veio, na época, através de Ana Maria Poppovic que, ao iniciar seus estudos com crianças carentes culturais, descobriu que nem sempre um baixo resultado nos testes de inteligência significava necessariamente *deficiência mental*; podia significar, também, *carência cultural*.[2] Era um primeiro vislumbre da realidade político-cultural, bastante importante no momento (estávamos, então, em 1968, época da tomada da PUC pelos alunos, das comissões paritárias e tudo o mais). Pena que isto não nos tenha possibilitado fazer a crítica mais plena da psicometria e dos princípios que ela encobre e faz proliferar. Também, na época, os caminhos eram poucos: ou optávamos

---

2. E isso se aplica, sem dúvida, à maioria da população infantil brasileira.

pelo behaviorismo — que tampouco fazia a crítica da realidade, mas simplesmente a transformava num conjunto de estímulos variados — ou pela clínica tradicional, o que quer dizer, pelos testes. É verdade que, na época, a psicologia era relativamente nova no Brasil e que tudo o que tínhamos era herdado dos americanos e dos europeus. Pode-se argumentar, nesse sentido, que o psicólogo brasileiro ainda não tivera tempo suficiente para fazer a crítica dessa herança cultural e da carga ideológica que ela comportava. O que assusta, entretanto, é perceber que hoje, o cenário ainda é praticamente o mesmo na maior parte das faculdades de psicologia. Ainda se ensinam as mesmas coisas e falta a mesma consciência crítica;[3] nesse sentido, a psicologia continua ainda sendo um dos baluartes do *poder disciplinar*. Como nos mostra Michel Foucault: "(...) A arte de punir, num regime de poder disciplinar, não visa nem à expiação, nem mesmo exatamente à repressão. Ela coloca em ação cinco operações bem distintas: referir os atos, as realizações, as condutas singulares a um conjunto que seja, ao mesmo tempo, campo de comparação, espaço de diferenciação e princípio de uma regra a seguir. Diferenciar os indivíduos uns com relação aos outros e em função desta norma de conjunto — quer se a faça funcionar como um limiar mínimo, como uma média a respeitar ou como um *optimum* do qual deve-se estar próximo. Medir em termos quantitativos e hierarquizar em termos de valor as capacidades, o nível, a 'natureza' dos indivíduos. Pôr em jogo, através dessa medida 'valorizante', uma coação em direção a uma conformidade a ser realizada. Traçar, enfim, o limite que definirá a diferença com relação a todas as diferenças, a fronteira exterior do anormal (...). A penalidade perpétua que atravessa todos os pontos e controla todos os instantes das instituições disciplinares compara, diferencia, hierarquiza, homogeneíza, exclui. Numa só palavra: *normaliza*".[4]

Mas o ato de normalizar não caracteriza somente a psicometria, de forma geral. Ele está presente sempre que se fala em diagnosticar ou em tratar; sempre que se está às voltas com alguma "patologia", desvio de conduta ou "anormalidade". Atravessa, desta

---

3. Pelo menos é que relatam os alunos do programa de Pós-graduação em psicologia clínica da PUC-SP, a maioria deles professores em diferentes cursos de graduação em Psicologia.
4. Foucault, M., *Surveiller et punir – Naissance de la prison*, Paris: ed. Gallimard. 1975, p. 185.

forma, os sentidos mais usuais que definem, na prática, a psicoterapia. Sair desse campo implica abandonar o universo das normas, dos desvios, das tabelas, dos diagnósticos; implica considerar que o ser humano, enquanto singularidade, é imensurável, incomparável, não-hierarquizável. Implica desistir de fazer da psicologia o velho modelo da ciência positivista. E em abandonar o conceito de *doença-mental*.[5]

A psicanálise tentou, sem dúvida alguma, sair desse modelo disciplinar, através do espírito refinado de Jacques Lacan. Criticando o pragmatismo norte-americano e retomando o mestre Freud, Lacan tentou fazer da psicanálise uma *ciência do inconsciente* e do processo psicanalítico um *desvelamento* desse mesmo *Inconsciente*, agora redefinido a partir de categorias linguísticas e concebido como a região da verdade a mais escondida e essencial do ser humano. Não mais processo de adaptação, reforço do ego ou normalização, a psicanálise, com Lacan, busca-se fundamentalmente como um percurso de revelação, de acesso a um saber sobre o desejo singular de cada um. Nada disso, entretanto, impediu que ela fosse criticada pelos próprios franceses, entre eles, Foucault: "A psicanálise pode ser decifrada historicamente como outra grande forma de despsiquiatrização provocada pelo traumatismo-Charcot. Uma retirada para fora do espaço do asilo a fim de apagar os efeitos paradoxais de sobrepoder psiquiátrico. Mas também reconstituição do poder médico, produtor da verdade, num espaço preparado para que essa produção permaneça sempre adequada ao poder. A noção de transferência como processo essencial à cura é uma maneira de pensar conceitualmente esta adequação na forma do conhecimento. O pagamento, contrapartida monetária da transferência, é uma forma de garanti-la na realidade: uma forma de impedir que a produção da verdade não se torne um contrapoder que dificulte, anule e revire o poder do médico".[6] Afirmação que provoca um sem-número de contra-argumentos: "Mas não sabe Foucault que a psicanálise, por princípio e segundo o próprio Freud, não tem nada a ver com a medicina? Como, pois, falar em poder médico?" "E não sabe Foucault que não cabe ao psicana-

---

5. Ver, nesse sentido, Foucault, M., *Doença mental e psicologia,* Rio de Janeiro: Ed. Tempo Brasileiro, 1968.
6. Foucault, M., "A casa dos loucos", *in Microfísica do poder,* Rio de Janeiro: Ed. Graal Ltda, 1979, pp. 125-126.

lista produzir qualquer verdade? Que, enquanto sustentáculo do discurso inconsciente do paciente, ele é apenas a região de um *suposto saber*, saber que, na verdade, é inexistente? E que psicanalisar consiste, justamente, em refugiar-se nesse não-saber e calar qualquer possível resposta, para que o discurso do Outro, rodopiando sobre si próprio, produza a verdade que contém sem saber que contém?" É evidente que Foucault conhece todos esses argumentos; afinal, o seu discurso é contemporâneo ao de Lacan. No entanto, a crítica persiste; por quê? Um episódio pode ilustrar uma possível resposta. Em janeiro de 1982, estando em Paris, num almoço na casa de Robert Castel — outro importante crítico da psicanálise[7] — num certo momento começou-se a discutir psicanálise e eu lhe perguntei se a sua crítica atingia a essência da psicanálise ou simplesmente os desvios dela. Ele simplesmente respondeu: "Eu não critico a psicanálise dos livros, mas a que vejo acontecer na prática". Com Foucault talvez se dê algo semelhante. De qualquer forma não são somente as críticas de Foucault e Castel que a psicanálise enfrenta na França. Há também as de Deleuze e Guatarri,[8] que veem no "imperialismo" assumido pelo complexo de Édipo na óptica psicanalítica um reducionismo que castra e domestica a produção inconsciente, fazendo-a exprimir-se e reproduzir-se num *familialismo normalizante*, de acordo com os interesses do capital e reproduzindo a sua própria aparição enquanto fetiche: "(...) Édipo tem por fórmula 3 + 1, o Um do fálus transcendente sem o qual os termos considerados não formariam um triângulo. Tudo se passa como se a cadeia dita significante, feita de elementos em si mesmos não significantes, de uma escrita polívoca e de fragmentos destacáveis, fosse objeto de um tratamento especial, de um achatamento que extraísse um objeto destacado, significante despótico em cuja lei toda a cadeia parece então pendurada, cada elo triangulado. *Existe aí um curioso paralogismo, que implica um uso transcendente das sínteses do inconsciente: passa-se dos objetos parciais separáveis ao objeto completo separado, de onde derivam as pessoas globais por intimação à falta.* Por exemplo, no

---

7. Que, aliás, me foi apresentado por uma amiga comum: Suely Rolnik, e que é autor, entre outras coisas, do livro O *psicanalismo*, traduzido e editado pela Graal Ltda., Rio de Janeiro.
8. Deleuze, G. e Guatarri, E., *o anti-Édipo*, Rio de Janeiro: Ed. Imago, 1976 e Guatarri, F. *Revolução molecular – pulsações políticas do desejo*, São Paulo: Ed. Brasiliense, 1981.

código capitalista e sua forma trinitária, o dinheiro como cadeia separável é convertido em capital como objeto separado, que só existe sob o aspecto fetichista do estoque e da falta. Acontece o mesmo com o código: a libido como energia de extração e de separação é convertida em fálus como objeto separado, este último só existindo sob a forma transcendente de estoque e falta (algo comum e ausente, que falta tanto aos homens quanto às mulheres)".[9] Penso que estas considerações podem dar uma ideia ao leitor de quão complexa é essa questão político-ideológica que atravessa toda a psicologia e que não poupa sequer a psicanálise. Não é meu objetivo aqui, entretanto, alongar-me nessa questão; deixo aos psicanalistas a tarefa de debatê-la e lançar mais luz sobre o presente tema.

Quanto a mim, meu caminho foi outro. Tendo assistido às primeiras aparições do psicodrama no Brasil (através de Jaime Rojas-Bermúdez) e tendo grande curiosidade pelos métodos grupais — sempre achei que se deveria aprender a lidar com grandes massas humanas e que o divã psicanalítico era pouco adequado à realidade brasileira — resolvi tornar-me psicodramatista. No psicodrama encontrei, de início, um método interessante mas mal aproveitado e uma teoria sem qualquer consistência lógica articulável, pelo menos de forma imediata. Mas resolvi investir. Comecei a utilizar o método na clínica e a descobrir seus meandros. Resolvi, também, fazer o mestrado em Filosofia como forma de me fundamentar para rever criticamente a teoria moreniana. Assim, apoiado, na prática, pelas supervisões de Dalmiro Bustos e na teoria, pela orientação crítica de Marilena Chauí, fui traçando meu trabalho de reestruturação, fundamentação e crítica da teoria e do método psicodramáticos.[10] O primeiro resultado foi a tese de mestrado, defendida em 1977 e publicada em 1979.[11] Nela aparece, entre outras coisas, uma tentativa de fundamentar a socionomia (que é a disciplina geral proposta por Moreno) através do *materialismo dialético*. Se a concepção de homem proposta por Moreno é a do ser-em-relação; se o homem

---

9. Deleuze, G. e Guatari, F., *O anti-Édipo, op. cit.*, pp. 98-99.
10. Para quem não sabe, Dalmiro Bustos é um psicodramatista argentino, credenciado pelo Instituto Moreno (de Beacon, New Iorque) e a quem nós brasileiros devemos muito enquanto formação. Marilena Chauí dispensa apresentações.
11. Naffah Neto, A., *Psicodrama – descolonizando o imaginário*, São Paulo: Ed. Brasiliense, 1979.

moreniano, mais do que uma subjetividade fechada, é intersubjetividade; se a sua existência concreta acontece na multiplicidade e no entrecruzamento dos feixes de relações nos quais está envolvido; se, enfim, seu ser é o pulsar constante entre a ação estereotipada do papel social e um movimento espontâneo-criador, tudo isso indica que o *locus* do homem moreniano é o *mundo social e político*, o mundo das lutas de classes, da alienação e da práxis. Por essas razões o materialismo dialético serviu, na época, para dar forma e fundamentar a microssociologia e a psicologia desenvolvidas por Moreno, formando, até, com elas, um todo congruente em termos lógicos.[12] Essa óptica ainda me acompanhou no livro seguinte, pelo menos em alguns dos ensaios que o compunham.[13] Com o passar do tempo, entretanto, fui percebendo o quanto o materialismo dialético era cego a certas questões humanas, como a questão do *desejo* — o homem marxista define-se pela *necessidade* — e a questão do *inconsciente* — a teoria marxista está apoiada na *consciência* (de classe). A decepção com o materialismo dialético aumentou com a minha viagem a Cuba, em julho de 1983. Viagem importante essa, que quase me pôs esquizofrênico, pois nada do que eu via correspondia ao que eu sentia! Descobri um país que, de fato, conseguiu resolver o problema de sua população em termos das necessidades básicas essenciais: alimentação, moradia, saúde, educação — e, nesse sentido, o trabalho da Revolução foi primoroso, mas que, para atingir esse estágio, teve de se tornar um país de uma só cabeça, uma única forma de pensar, disseminada de cima para baixo e rigorosamente controlada pelo Estado. Tudo pode, desde que dentro das "metas do socialismo" (o que quer dizer, do pensamento marxista-leninista). Um país onde o diálogo, a democracia, as singularidades, tornam-se, nesse sentido, variações dentro de um único tema e onde as subjetividades são produzidas pela máquina do Estado como em qualquer superpotência capitalista. E onde o poder que governa é, nesse sentido, o *poder disciplinar*. País maravilhoso do ponto de vista econômico e detestável do ponto de vista político e que, nesse sentido, fez-me sentir

---

12. Isso, inclusive, na medida em que eu assumia o materialismo dialético através da óptica do existencialismo francês (Merleau-Ponty, Sartre) e que a teoria moreniana tem muito a ver com o movimento existencialista.
13. Ver Naffah Neto, A., "O Drama na família pequeno-burguesa" e "Psicodrama e Dialética" em *Psicodramatizar – ensaios*. São Paulo: Ed. Ágora, 1980.

cindido, esquizado! E a psiquiatria cubana — que tanta curiosidade tem despertado — não realiza nada mais, nada menos, do que um trabalho de reinserção do louco na sociedade produtiva, através da laborterapia. Nos textos que pude ler sobre tal trabalho, não havia qualquer menção ao possível caráter revolucionário do discurso da loucura, nem a qualquer concepção da loucura que não a tomasse como "doença mental". Enfim, em matéria de psiquiatria, os cubanos estão muito longe de Laing, Cooper e Foucault. O que fazem é procurar abolir a loucura, reinserindo o louco na sociedade produtiva, desenvolvendo-lhe o papel de cidadão e de responsável. E se a loucura for sintoma de algo, se ela refletir algo das contradições que envolvem a sociedade cubana, esse saber é abolido como possibilidade, ao se abolir a loucura pela reabsorção social. O que significa, em suma, uma psiquiatria que, por trás da fachada de revolucionária, encobre um caráter conservador e reacionário.[14]

Mas, enfim, eu dizia tudo isso para, poder justificar o porquê da minha urgência em ultrapassar o materialismo dialético ou, pelo menos, em transformá-lo em aspectos essenciais. Sem dúvida, há coisas do marxismo que ainda valem e muito. Não há de se desmerecer a descrição da sociedade capitalista exposta em *O capital.* Mas há de se questionar o *naturalismo* e o *primado da consciência* na visão marxista de mundo e de homem. É necessário se repensar as categorias políticas e sociais do materialismo dialético para talvez descobrir que, por trás das relações contraditórias entre as classes sociais e de toda a descrição objetiva da economia burguesa, pululam fantasmas e desejos, perfilam-se tradições autoritárias, enfim, estrutura-se um *inconsciente social* e *político* que engendra a história nas suas malhas e que não se abole com a revolução do proletariado. Após esse empreendimento, repensar toda a questão da dialética.

Quem poderia ter realizado essa crítica de forma mais plena seria, talvez, a Escola de Frankfurt. Entretanto, não o fez, na medida em que preferiu permanecer, em certa medida, fiel tanto ao marxismo quanto à psicanálise, ficando prensada entre as duas escolas. Por outro lado, é essa mesma crítica que Deleuze e Guattari têm procurado realizar em livros como *O anti-Édipo,* por exemplo. Entretanto,

---

14. E mesmo que se alegue que os loucos em Cuba são todos velhos e que a loucura foi originária do regime anterior ou do choque produzido pela revolução, há de se provar que o seu desenvolvimento e permanência não reflete algo da atual sociedade cubana.

a obra destes autores também apresenta pontos questionáveis, como o rechaço talvez prematuro da dialética; isso na medida em que se apoiam no pensamento de Nietzsche e herdam, nesse sentido, a sua crítica a filosofias do negativo.[15] Não seria necessário levar a dialética às últimas consequências para poder, de fato, repensá-la com maior vigor ou até chegar à conclusão de que, enquanto filosofia e visão de mundo, ela está ultrapassada?[16]

Mas voltemos ao psicodrama, para tentar mostrar que, na ideia moreniana de um *coinconsciente* ou *inconsciente comum* talvez esteja um elo possível para a formulação desse *inconsciente social* e *político* de que falávamos. O que Moreno mostra é simples: que o psicodrama com famílias e com outros grupos estreitamente vinculados têm revelado situações em que a produção inconsciente de um membro do grupo vincula-se espontaneamente à produção inconsciente de outro membro do grupo, formando um só elo de significação; mais que isso, ele observa que marido e mulher, invertendo papéis numa dramatização, conseguem, muitas vezes, trazer à tona conteúdos inconscientes que supostamente seriam do parceiro. E conclui pela necessidade de se pensar em *estados inconscientes comuns* a vários sujeitos, uma espécie de *coinconsciente,* que desempenharia, segundo ele, papel importante na vida de pessoas intimamente associadas, como pai e filho, marido e mulher, gêmeos, etc., e em grupos estreitamente vinculados, tais como: equipes de trabalho, grupos de combate em guerras, campos de concentração, grupos religiosos carismáticos etc.[17] Também em meu trabalho como psicodramatista, tenho observado fenômenos interessantes nesse sentido: sessões psicodramáticas de grupos já relativamente

---

15. Sobre as críticas de Nietzsche à dialética, ver Deleuze, G., *Nietzsche e a Filosofia*, Rio de Janeiro: Ed. Rio, 1976.
16. Levar a dialética às últimas consequências significa, num certo sentido, produzindo a si mesmo enquanto subjetividade. Nessa perspectiva, não hegeliano-marxista. Ou seja, recuperar o seu sentido etimológico originário, expresso no grego *dialégesthai,* que significa o processo pelo qual o eu recolhe o múltiplo para dentro de si, perpassando-o na sua representabilidade e, nesse sentido, produzindo a si mesmo enquanto subjetividade. Nessa perspectiva, não se poderia pensar a dialética como um processo infinito, nunca acabado, onde cada síntese é sempre fragmentária, parcial, onde a *totalidade* designa o fantasma do impossível? E onde a *multiplicidade* permanece sempre como irredutibilidade do Ser à consciência?
17. Ver: Moreno, J. L., "La terapia interpersonal, la psicoterapia de grupo y la función del inconsciente", in *Las bases de la psicoterapia*, Buenos Aires: Ed. Hormé S. A. E., 1967.

antigos (enquanto processo terapêutico) mostram, muitas vezes, o grupo como um todo antecipando (na fase de aquecimento da sessão) trechos de cenas que seriam encenadas, em seguida, pelo protagonista, ainda não detectado. Ou seja, o grupo funciona aí como uma espécie de coro de tragédia grega e, através de lapsos, atos falhos, deslizes transferenciais, consegue anunciar fragmentos do drama que ainda está por ser encenado; como entender esse tipo de fenômeno senão supondo um *coinconsciente* grupal? Também já mostrei em trabalhos anteriores[18] que, muitas vezes, vai-se encontrar o elo de significação que estrutura certas cristalizações de papéis em personagens de duas gerações atrás (como avós, por exemplo). Ou seja, certos sintomas (como alguns medos não compreensíveis) só encontram seu sentido quando o protagonista consegue encarnar, em cena, esses fantasmas de antepassados que, através da sua história de vida, explicam a origem do medo que o paciente vive e cuja razão de ser permanecera, até então, inconsciente. Como, pois, entender esse fenômeno senão supondo um *coinconsciente* familiar, estruturado através de gerações e gerações?[19]

Essas observações permitem-nos generalizar e ampliar o conceito para aplicá-lo a todo o corpo social. Ou seja, propõem uma nova visão das relações sociais, não mais como relações objetivas e imediatas (essa é a óptica proposta por um certo tipo de sociologia) nem mesmo como relações mediadas *unicamente* pelo fetiche do capital (óptica do marxismo), mas como relações mediadas por um número incalculável de *fantasmas inconscientes*. Ou seja, o fantasma inconsciente, antes definido pela psicanálise como representação mental, intrapsíquica, desloca-se dessa caixa preta chamada "mente" para ocupar o lugar que sempre lhe foi de direito: as relações entre os homens, a estrutura social nas suas produções e transformações. Tome-se, por exemplo, o caso de Hiroshima: quantas gerações viveram e ainda vivem o seu cotidiano como permeado pelos fantasmas daqueles que morreram, fantasmas das casas destruídas, das doen-

---

18. Ver: **Naffah Neto, A.**, "O drama na família pequeno-burguesa", *op. cit.*
19. Também os psicanalistas conhecem fenômenos desse tipo. Maud Mannoni, por exemplo (cf. *L'enfant, sa "maladie" et les autyes*, Paris: Ed. de Seuil, 1967) nos mostra como certas produções inconscientes da criança nada mais fazem do que por às claras certos conflitos inconscientes que estruturam a relação dos pais e da família como um todo.

ças, da morte, do cogumelo avassalador da bomba atômica? Representações mentais? Essa é uma forma um tanto idealista, quando equivocada, de ver a coisa: chamar de "mentais" esses espectros, essas sombras que se entrelaçam nas relações, que permeiam todo o corpo social nas suas ações mais corriqueiras do cotidiano, constitui, senão um abuso teórico, pelo menos, uma concepção ingênua: a bomba atômica está *de fato* lá, não só naqueles que ficaram marcados por ela, só na radioatividade que ainda ameaça a vida das pessoas, não só no parque e nos monumentos que são o seu testemunho vivo; ela está, também, nos recantos mais escondidos da vida de cada um, na saudade daqueles que morreram, nos sonhos daqueles que ainda estão por vir, na inocência daqueles que sequer foram diretamente afetados por ela. Não há dúvida: as relações sociais em Hiroshima ainda continuam sendo mediadas pelo capital e, nesse sentido, a ótica marxista se mantém; entretanto, qualquer análise que ficasse unicamente presa a esse aspecto seria simplesmente simplória. E não há dúvida: esse trauma social que foi a bomba atômica estruturou e ainda está estruturando um *inconsciente social e político* que atravessará as vidas de gerações e gerações da cidade marcada. E quando, um dia, tudo passar e a bomba for esquecida (se isso for possível), as gerações posteriores ainda continuarão a sonhar com cogumelos estranhos, parecendo feitos de nuvens (ou de fumaça, quem sabe lá?), sem consciência alguma do que se trata.

Entretanto, essa ideia de um *inconsciente social* e *político* não é assim tão nova. Os antigos gregos já a conheciam, embora nunca a tenham nomeado desta forma. Tome-se, por exemplo, a noção de *ananké* (destino), tal qual aparece na tragédia grega e nos mitos. *Édipo-Rei* pode ilustrar o que queremos dizer. A ideia (não sei se propriamente freudiana ou dos freudianos) de que a tragédia é movida pelo desejo incestuoso e parricida de Édipo é completamente falsa, e Jean Pierre Vernant e Pierre Vidal-Naquet já o demonstraram.[20] O que isso quer dizer? Quer dizer simplesmente que entre um suposto desejo inconsciente de Édipo e os acontecimentos centrais da tragédia (o assassinato do pai e o casamento com a mãe) existe, a mediá-los, um conjunto de oráculos que repetem maldições de antepassados, que formam uma trama intrincada e nodosa, onde o desejo

---

20. Vernant, J. P. e Vidal-Naquet, P., "'Édipo' sem complexo", em *Mito e tragédia na Grécia antiga*, São Paulo: Ed. Duas Cidades, 1977.

de Édipo é apenas uma pequena peça. Não há dúvida: a tragédia não revela todos esses aspectos; ela apenas conta que Laio, pai de Édipo, recebera um oráculo profetizando que seria morto pelo próprio filho. Entretanto, basta pesquisar o mito para descobrir que todas as versões mais correntes referem-se a esse oráculo como repetindo uma antiga maldição que Laio recebera, em tempos passados, de Pélope, rei de Pisa, quando raptara seu filho Crisipo, para fazê-lo seu amante. Acontece que Laio se hospedara na casa de Pélope em tempos difíceis, e esse rapto representava uma traição à hospitalidade do rei. Por esta razão, Pélope lançou-lhe a maldição de que não teria filhos e se os tivesse morreria nas mãos do próprio filho, pedindo a Zeus que a realizasse.[21] Feitas essas colocações, fica bastante claro que se tivéssemos de colocar algum desejo na origem da tragédia de Édipo, esse desejo não seria o do herói, não sendo, portanto, desejo incestuoso e parricida; seria, isto sim, o desejo homossexual de seu pai, Laio. Entretanto, o que caracteriza a mitologia grega é, justamente, a impossibilidade de se detectar a origem de qualquer fato: tudo parece remeter a um desfiladeiro de acontecimentos, lutas, guerras, disputas, maldições, num conjunto de histórias que se irradiam umas das outras outras. Como ramos de uma imensa árvore povoada de homens, heróis e deuses. Nesses entrecruzamentos de histórias, as ações dos personagens, frequentemente, produzem injustiças e infelicidades de outrem, contraindo dívidas morais e recebendo maldições que encontram alianças entre os deuses.[22] Essas maldições, intermediadas pela vontade divina e anunciadas pelos oráculos, vão constituir, assim, o *ananké* dos personagens. Destino que, enquanto tal, será herdado pelos seus descendentes, que estarão, desta forma, sempre lutando com fantasmas, fatalidades e injunções que escapam ao seu controle e transcendem a sua existência. A tragédia grega é constituída, desta forma, por um *script* que é vivido pelo herói mas cujas razões, via de regra, lhe escapam. Como uma *trama inconsciente*. Como formações de um *inconsciente social e político*. Social, porque se produz no entrecruzamento das relações humanas.

---

21. Cf. Ruiz de Elvira, A., *Mitologia clássica*, cap. IV, item 4: "Layo e Édipo", Madrid: Ed. Gredos, 1975, pp. 190-204..
22. As ações humanas, via de regra, incorrem em falhas e erros de julgamento devido à presunção e ao orgulho humanos e sua insistência em desconhecer as leis que regem o mundo (*nomói*) e que são postas pelos deuses. É esse orgulho, justamente, que receberá o castigo divino.

Político porque o que está em jogo são sempre relações de poder; poder dos homens entre si, poder entre os homens e os deuses. Retomando essa perspectiva, o psicodrama aparece como uma práxis de desvelamento desse inconsciente, tal qual aparece e se faz presente no cotidiano dos homens. Processo que é, em si, uma dialética, e que se processa através da contradição entre a pretensa consciência de uma ação soberana, livre e responsável e a factualidade de uma ação predeterminada: papel, fantasma, injunção de um *script* inconsciente que insiste por se fazer verdade. Contradição entre a ação do presente e as ações do(s) (ante)passado(s). Entre o discurso egoico e o discurso anônimo. Entre as gerações. Entre o novo e o velho. Entre o arbítrio e o destino. Entre si mesmo e o Outro. Entre a vida e a morte. Onde a espontaneidade designa, justamente, esse encontro entre a subjetividade alienada e a sua história. momento em que o sujeito perpassa o objeto (seu mundo, as leis que o regem, os fantasmas que anunciam a sua verdade) para torná-lo saber-em-ação, fluxo de significações que atravessa o corpo para se fazer movimento de transformação da história. Acontecimento, que Deleuze define com primor: "O acontecimento não é aquilo que acontece (acidente), ele é, naquilo que acontece, o puro exprimido que nos faz signo e nos aguarda (...) Ele é o que deve ser compreendido, o que deve ser desejado, o que deve ser representado naquilo que acontece. Bousquet nos diz (...): 'Torna-te o homem de tuas infelicidades, aprende a encarnar-lhes a perfeição e o brilho'. Não se pode dizer nada além disso, nunca se disse nada além disso: tornarmo-nos dignos daquilo que nos acontece; por conseguinte, desejar isso e resgatar daí o acontecimento, tornarmonos os filhos de nossos próprios acontecimentos e, através disso, refazer um nascimento, romper com o nascimento carnal".[23] Ou, nas palavras de Goethe: "O que herdaste de teus pais toma e torna teu".[24]

Nesta perspectiva, o psicodrama rompe com as antigas dicotomias: mundo interno/mundo externo, fantasia/realidade, *psyché/ socius,* que sempre alienaram a psicologia do mundo, tomando-a uma máquina de fazer cabeças, uma prática de normalização e de disciplina. Como práxis de desvelamento do cotidiano, consegue,

---

23. Deleuze, G., *Logique de sens*, Paris: Les Éditions de Minuit, 1969, p.175.
24. Citação de Rollo May: *O homem à procura de si mesmo*, Petrópolis: Ed. Vozes, 1973, p. 171.

assim, abrir novos horizontes para a prática terapêutica. Mas aspira a mais que isso: a poder, quem sabe, um dia, arrebentar o espaço privado da clínica e tornar-se, finalmente, aquilo que sempre foi em essência, desde a sua origem: um teatro terapêutico aberto a todos, um psicodrama público.

Mas poder-se-ia perguntar: isso ainda pode ser chamado de psicologia clínica? E como fica a velha definição da psicologia como *ciência do comportamento*? É uma pergunta para a qual, no momento, não tenho resposta. Talvez porque, enquanto questão, ela nunca tenha, de fato, me preocupado.[25] De uma coisa, entretanto, eu sei: se a psicologia não puder ser isso, então ela não me interessa. Ela que fique com os seus velhos conceitos encaro quilhados e reacionários, fazendo as cabeças do mundo, até que apareça a todos a sua virulência. Ela que apodreça do seu próprio veneno. E que morra.

Tenho dito.

---

25. É possível que os outros autores deste livro possam lançar maior luz sobre essa questão.

O papel do psicólogo na organização industrial (notas sobre o "lobo mau" em psicologia)*

Wanderley Codo

O movimento social nos últimos tempos tem se mostrado com tendência inequívoca a uma concentração urbana industrial, graças ao desenvolvimento do capitalismo no Brasil, cada vez mais e mais operários concentram-se em grandes indústrias, o que por si só é relevante para os psicólogos, incumbidos por missão e profissão a compreender e/ou transformar o comportamento humano. Mas, além do argumento meramente estatístico, há uma razão ainda mais forte e igualmente evidente, a indústria é o motor da sociedade, o *locus* onde se geram as relações entre as pessoas, entre as classes. A atuação do psicólogo dentro da indústria deveria ser a menina dos olhos deste profissional, os postos mais cobiçados entre os estudantes. A realidade não é esta.

Ao contrário, quanto mais cresce a importância da indústria na sociedade contemporânea, mais crescem as críticas que a psicologia, principalmente no âmbito acadêmico, faz à atuação do psicólogo na indústria. Embora seja muito difícil operacionalizar estas formulações, sente-se claramente que os professores e alunos de psicologia referem-se a esta especialidade como uma espécie de irmã menor da psicologia, um misto de asco e comiseração comum à mãe (prendada) que se refere a uma filha que se prostituiu.

---

* Os dados deste trabalho foram coletados do vol. I da tese de Doutoramento de Wanderley Codo, "A transformação do comportamento em mercadoria", PUC, São Paulo, 1981.

O exame desta contradição nos obriga a recorrer à teoria e à prática do psicólogo industrial, assim como as críticas que são feitas à sua atuação.

A começar pela função teórica do psicólogo industrial: o departamento de seleção de pessoal se orienta pelo pressuposto fundamental de "combinar os indivíduos com as ocupações com as quais se habilita".[1] O pré-requisito básico para o cumprimento deste papel é que haja uma determinação explícita de funções, um fluxograma da empresa, tanto em nível de tarefa quanto em nível de produção. A partir daí, a seleção deve elaborar teses capazes de detectar habilidades e/ou características que possam prever o grau de adaptação do indivíduo à tarefa, objetivando, por um lado, aumentar a satisfação no trabalho e, por outro, aumentar a produtividade reduzindo o *turn-over*.

Paralelamente ao desenvolvimento dos métodos de seleção, deve ocorrer, como aconselham os manuais de psicologia industrial, uma avaliação periódica de desempenho, com a função de orientar as possíveis promoções e, ao mesmo tempo, funcionar como teste periódico, avaliando os critérios da seleção e retroalimentando o sistema. O resultado previsto é o aumento da eficiência, partindo do pressuposto de que um indivíduo desempenha tanto melhor quanto melhor adaptado estiver à sua função.

No treinamento mantêm-se os motivos e mudam os métodos. Trata-se de ensinar ao trabalhador as especificidades de um trabalho determinado, aumentando seu rendimento na medida em que o capacita para o trabalho.

Quer na seleção, quer no treinamento, o princípio que vigora é o de manter o homem certo no lugar certo, e, também, adequar o homem à máquina, reduzindo ao mínimo a probabilidade de erro.

Sobre a crítica da função teórica do psicólogo industrial, já se transformou em lugar-comum as afirmações de que estas atividades, descritas sucintamente acima, são intrinsecamente reacionárias, o psicólogo se coloca a serviço da indústria como instrumento adicional de exploração do trabalhador, ao invés de transformar a estrutura produtiva para que venha a satisfazer as necessidades do ser humano; transforma o ser humano à imagem e semelhança da indústria, invertendo, portanto, sua missão de contribuir para a felicidade do

---

1. Tiffin, Joseph e McCormick, Ernest J., *Psicologia industrial,* São Paulo: Ed. Herder, 1969, p. 113.

homem e corroborando na alienação do trabalhador, transformando-o em dócil e pacato objeto de exploração do Capital. Alguns críticos mais afoitos chegam a responsabilizar toda a psicologia, acusando-a de estar a serviço das classes dominantes, servindo como instrumento destas contra o trabalhador.

De passagem, é bom frisar que não é privilégio da Psicologia, muito menos da psicologia industrial, o seu compromisso com as classes dominantes. É fato, já sobejamente conhecido, que o domínio de uma classe sobre a outra traz como decorrência o domínio das ideias da classe que está no poder, e que a ciência não escapa através de algum exercício mágico de neutralidade. Pelo contrário, ao produzir conhecimento que necessariamente implica poder, a ciência é apropriada pelas classes dominantes e utilizada em seu benefício.

No entanto, ao constatarmos esta relação entre ciência e poder, não podemos correr o risco de "jogar a criança fora com a água do banho". Vejamos: se o psicólogo, ao declarar que a psicologia industrial está a serviço da grande indústria, se recusa a trabalhar na área, está fazendo coro pelo avesso a velhas cantilenas que proclamam a neutralidade da ciência, isto sim, produto ideológico típico das classes dominantes. Em outras palavras, a crítica que produz a não intervenção é uma crítica caolha, covarde, que lava as mãos e se recusa em inverter o papel da ciência, que não se submete a correr os riscos do poder para tentar subvertê-lo.

É verdade que o psicólogo industrial é um empregado do patrão, contratado para fazer frente ao operário. Por isto mesmo, o psicólogo consciente deveria estar na indústria refletindo conscientemente para tentar subverter suas funções. Franzindo o nariz e se recusando a cumprir tão "vil papel", os defensores deste tipo de crítica fazem coro exatamente ao sistema, pois reivindicam pelo avesso a neutralidade da ciência, que denunciam como falsa, e poupam os industriais do incômodo de ter entre suas fileiras um profissional preocupado com a defesa dos direitos do trabalhador.

Imaginemos que um operário, ao tomar consciência da exploração a que é submetido, se recusasse a trabalhar na fábrica ao invés de organizar sua classe dentro da fábrica. Triste e irônico conluio entre a consciência e a covardia, em uma palavra, falsa (pseudo) consciência, que se traduz em omissão.

Mas não é apenas no plano genérico que estas críticas se mostram débeis. Tivemos oportunidade de fazer um estudo do caso de uma indústria, relatado em um trabalho anterior, que aponta para as funções que o psicólogo exerce de fato na indústria. Possuímos razões para supor que os dados coletados sejam passíveis de generalização, guardando precaução para as possíveis mudanças que ocorram de uma fábrica para outra, mas que, em nossa opinião, não alteram o conteúdo básico das observações que realizamos. Vejamos, então, quais são de fato as atribuições do psicólogo na indústria:

Em se tratando de seleção, a industrial geralmente divide seus funcionários em duas categorias: a dos horistas e a dos mensalistas. Os primeiros são os encarregados diretamente da produção, operários mais ou menos qualificados, e os segundos são funcionários do que chamamos de tecnoburocracia, diversos escritórios de controle, engenheiros, psicólogos etc. Cabe ressaltar que os horistas apresentam a maioria esmagadora (70-90%) do total dos empregados da fábrica.

Para os operários literalmente não há seleção, não se aplicam testes psicológicos nem de personalidade nem de inteligência, apenas uma entrevista que indaga coisas como o lugar onde o operário mora, o número de filhos que tenha, dependência do salário e experiência anterior, entendida no sentido de já ter trabalhado em uma fábrica antes "para não se desiludir", nas palavras da psicóloga que entrevistamos.

Diga-se de passagem, não poderia ser de outra forma porque o próprio pedido de mão de obra não discrimina com detalhes a função que o operário deve realizar. Na fábrica que estudamos havia vários trabalhos diferentes colocados sob o mesmo título: "montador"; quem define que tipo de trabalho o recém-chegado fará é o chefe de seção e não a seleção de pessoal.

De montador o operário pode passar a várias outras funções até atingir a de encarregado de pessoal. Todas estas promoções são feitas por critérios estabelecidos e determinados pelo chefe de produção, não passando, portanto, pelo crivo da seleção de pessoal.

Para os mensalistas, encarregados em última instância de controlar o comportamento do operário, o departamento de seleção já segue à risca os manuais de psicologia industrial, são aplicados os testes baseados em descrição de função etc.

O departamento de treinamento segue as mesmas diretrizes básicas, grande parte da sua atenção é dedicada a cursos de relações humanas e de liderança, avaliação de desempenho (aplicado apenas aos mensalistas), cursos de inglês para os gerentes.

Para os operários, o departamento de treinamento se limita a algumas instruções de como funciona a fábrica, chamada pomposamente de "semana de integração", e ao adestramento, cuja instrução dura, no caso de tarefas mais completas, em média 15 minutos e é feita por uma ex-operária promovida a instrutora. Depois disto, basta que o operário reproduza sob supervisão a tarefa até que alcance o ritmo exigido pela produção.

A fábrica, como se vê, prescinde da intervenção do psicólogo na escolha de seus funcionários e na manutenção de um bom andamento da produção. Isto é possível devido a dois mecanismos básicos: primeiro, através da intervenção da engenharia industrial, que se dedica ao estudo pormenorizado do trabalho, visando a maximização dos lucros por meio da simplificação *ad extremum* da atividade do operário, o que não só agiliza, pela divisão do trabalho na linha de montagem, a consecução do produto final, como também, e não menos importante, torna o operário facilmente substituível (eis aqui o verdadeiro agente de controle do comportamento dentro da fábrica); e, segundo, por um exército industrial de reserva farto e acotovelado às portas da fábrica à espera de demissões que possibilitem ao trabalhador o acesso cada vez mais raro ao emprego.

Vejamos, agora, o que estas providências descritas acima provocam no operário. A sua admissão ao emprego lhe aparece como aleatória, o exercício das tarefas diárias, repetitivas, insignificantes, ou, como quer Georges Friedmann, "o homem é maior do que o gesto", sua demissão como arbitrária, sua promoção dependente, em última instância, dos caprichos do chefe da produção.

O operário resiste a esta alienação de várias maneiras, mas algumas nos interessam aqui, particularmente: supervaloriza a sua própria seleção, chegando a inventar testes que não foram realizados e atribuindo à sua admissão a inteligência, perspicácia etc., e, dentro da fábrica, reivindica e/ou não perde a oportunidade de realizar qualquer curso técnico com que possa aperfeiçoar-se. Os mecanismos são evidentes, trata-se de contrapor, à desvalorização a que a fábrica o submete, uma revalorização de si mesmo, ainda que seja através da fantasia.

Retornemos às questões iniciais, toda a crítica que se tem feito à psicologia do trabalho tem como alvo predileto a tentativa de escolher o homem certo para o lugar certo (*right man to the right place*) do ponto de vista da seleção ou melhor pressuposto de "adaptar o homem à máquina", objetivo que em última instância reproduz no plano do treinamento a mesma ideologia da seleção. O que se vê na fábrica quando o objeto de estudo são os operários, quantitativamente a esmagadora maioria dos trabalhadores e qualitativamente os responsáveis diretos pela produção, não é nenhuma tentativa de adaptação do indivíduo à indústria, pelo contrário, trata-se da eliminação do indivíduo que trabalha, pelo menos do ponto de vista psicológico.

Em outras palavras, trata-se de transformar o trabalho do operário em força de trabalho e utilizá-la como qualquer outra força (elétrica, mecânica) no processo produtivo. Esbulhar o comportamento produtivo da sua dignidade, expropriar o trabalhador do controle do próprio processo de trabalho, transformar o gesto produtivo, humano por excelência, em força de tração.

É que a filosofia do *right man in the right place* tem sentido em um capitalismo em expansão, com taxas de crescimento superiores, ao crescimento vegetativo da oferta de mão de obra, máquinas funcionando a todo vapor, novos ramos industriais em expansão. Estamos vivendo em uma outra fase do capitalismo: recessão, desemprego em larga escala, crescimento dos setores financeiros da economia em detrimento das industriais, aumento da capacidade ociosa das unidades produtivas em funcionamento, falência de pequenas e médias empresas. Em uma palavra, vivemos numa estagflação, nome teórico que os economistas encontraram para batizar uma situação onde combinam-se altas taxas de inflação com a estagnação da economia.

O modo de operação de uma economia capitalista, na medida em que repousa sobre a produção coletivizada e a posse individual dos meios de produção, carrega em si a contradição de necessitar, por um lado, de mão de obra especializada, ao mesmo tempo que deve operar para retirar dos trabalhadores o poder que é inerente à especialização, o que faz (teoricamente) da psicologia organizacional um instrumento importante na administração dos conflitos entre capital e trabalho. Um quadro de recessão e desemprego aumenta em muito a oferta de mão de obra e os investimentos em tecnologia que fazem o pêndulo oscilar em direção a uma mão de obra cada vez mais descartável. Se alguma frase puder substituir o *right man in the right place*, sugiro em oposição qualquer coisa semelhante a *nowhere man in any place*.

Tal situação que em síntese promove a transformação do trabalho, eliminando a dignidade do trabalhador, coloca os críticos da ideologia da adaptação, do homem ao trabalho, na posição de Dom Quixote, a lutar contra moinhos de vento, ou como já disse o poeta, tentando matar amanhã o velhote, inimigo que morreu ontem.

Se, durante o período de recessão houvesse uma política industrial que efetivamente selecionasse e treinasse os operários em suas funções, o que ocorreria seria uma valorização do operário, através da valorização dos postos de trabalho, dificultando a substituição de um homem por outro, ao mesmo tempo que aumentaria a segurança psicológica do trabalhador na sua própria capacidade. Em uma palavra, contribuiria no sentido de fortalecer o operário perante a indústria, ao invés de enfraquecê-lo.

Imaginemos que os psicólogos bem pensantes, ao invés de franzir o nariz para a Psicologia Industrial, procurassem ocupar os postos que lhes cabem na fábrica e cumprissem exatamente as suas funções:

1) buscando selecionar e classificar de fato homens mais capacitados para exercício de suas funções, estendendo a seleção a cada operário da fábrica e, como reza a nossa ética profissional, informando ao candidato os resultados dos testes a que foi submetido, assim como os critérios que subjazem sua aprovação ou reprovação;

2) conquistando a extensão da avaliação de desempenho para todas as funções na fábrica, o que, ato contínuo, implicaria a definição de critérios objetivos para a promoção, rebaixamento ou demissão de cada operário;

3) atuando efetivamente no sentido de treinar os operários não apenas na sua função específica mas, também, mostrando o funcionamento da estrutura toda de produção.

Sem dúvida, o psicólogo que assim agisse estaria contribuindo para a conscientização do operário, para o aumento do seu poder de barganha perante a fábrica e para a segurança e dignidade, enquanto ser humano, tão escassas nas condições atuais. Tudo isto sem precisar brandir a teoria marxista de fora da fábrica e nem, ao menos, reinventar a Psicologia neutra, com as vantagens de trocar as velhas cantilenas murmuradas pelos cantos da Universidade por uma atuação direta com o operariado, classe revolucionária por excelência, que, se não for favorecida com o auxílio técnico dos psicólogos, pelo menos, auxilia-os a compreender melhor a história.

Em outras palavras, é hora de fazer a crítica da crítica da atuação do psicólogo industrial que, para ser competente, necessita ser empreendida de dentro da própria fábrica, *locus* sem dúvida menos confortável do que as escrivaninhas da Universidade, mas, por isto mesmo, concreta.

É evidente que tal atuação está longe de ser possibilitada sem riscos; os psicólogos dispostos a atuar dentro da indústria precisariam, ato contínuo, de uma organização enquanto categoria, com força o suficiente para zelar pela manutenção do próprio emprego e pela observância dos princípios éticos em suas atuações.

Como sempre, é possível que todas as nossas considerações estejam erradas. Se for o caso, a única forma de percebermos é na prática, o que termina por revalidar pelo avesso as conclusões acima. Temos certeza de que o debate que vier a aprofundar, acatar ou recusar as reflexões que expomos pode nos clarear o caminho, se for baseado no operário concreto, na fábrica real e na atuação do psicólogo fidedigna. Estaremos, sem dúvida, melhor embasados na prática e menos suscetíveis às armadilhas próprias dos contos de fada.

Bibliografia

Codo, Wanderley, *A Transformação do Comportamento em Mercadoria*, São Paulo, Tese de Doutoramento. PUC-SP, 1981, mimeo.

Friedmann, Georges, *O Trabalho em Migalhas,* São Paulo, Ed. Perspectiva, 1972.

McCormick, Tiffin, *Psicologia Industrial,* São Paulo, Ed. da Universidade de São Paulo/Herder, 1969.

Psicologia na comunidade*

Alberto Abib Andery

Psicologia na Comunidade é uma expressão relativamente nova em nosso meio. Nela, a palavra *comunidade* vem sendo usada para designar a instrumentalização de conhecimentos e técnicas psicológicas que possam contribuir para uma melhoria na qualidade de vida das pessoas e grupos distribuídos nas inúmeras aglomerações humanas que compõem a grande cidade. É um nome que procura captar um movimento da Psicologia atual de paulatino distanciamento do seu *locus* tradicional: a sala de experimentos ou de discussões puramente acadêmicas; a ante-sala da gerência executiva das empresas industriais; o consultório particular centrado em atendimento unicamente individual.

É um movimento de aproximação do cotidiano das pessoas principalmente nos bairros e instituições populares onde a grande parcela da população vive, organiza-se e cria seus canais de expressão.

Essa busca de inserção da Psicologia na Comunidade parte da descoberta de que, nessas situações e lugares, a presença ativa dos conhecimentos psicológicos tem sido pouco frequente, privando

---

*Ao invés de concentrar, neste texto, a atenção no psicólogo, preferiu-se falar da Psicologia na Comunidade, entendendo ser esta uma práxis própria, mas não exclusiva, do psicólogo.
A interdisciplinaridade e a participação de pessoas da própria comunidade são defendidas, neste texto, como integrantes dessa práxis.

indivíduos e grupos muito numerosos dos benefícios que a ciência deve proporcionar. Persistem aí velhos tabus, sobre Psicologia, que podem assim ser denunciados. Mas é desse contato também que a Psicologia enquanto ciência procura renovar-se nos seus conteúdos, metodologia e técnica, tornando-se mais próxima de uma verdadeira Psicologia Social.

Esse nome apareceu, por primeiro, na Inglaterra[1] e nos Estados Unidos[2] e, após, espalhou-se por vários países, inclusive o Brasil, com aceitação bastante desigual.

A Psicologia na Comunidade não foi criada para designar uma nova Escola de Psicologia nem uma nova teoria ou um novo "ismo" de moda. Representa uma guinada para uma nova forma de pensar e praticar a Psicologia, distinta da tradição dominante até o final dos anos 50 deste século.

Na sociedade contemporânea, perturbada pelas mudanças tecnológicas, culturais e sociais, é preciso tentar inserir a Psicologia como uma forma de explicação, ajuda e mudança em prol da sobrevivência do próprio homem. A Psicologia dos anos 1950 isolava-se demais dos problemas coletivos do homem contemporâneo, encerrando-se numa torre de cristal da discussão meramente acadêmica e do atendimento a poucas pessoas da elite econômica. Pouco se preocupava por definir uma atuação verdadeiramente social e constituir-se assim numa das ciências sociais úteis para nossa época.

Para esse isolamento contribuiu a própria identificação da área chamada Psicologia Social. Essa área de pesquisa e conhecimento surgiu desde o início do século XX, mas sua maneira de considerar o que vem a ser o *social* em Psicologia perturbou durante meio século sua inserção na comunidade dos homens.

As correntes mais antigas definiram Psicologia Social como estudo de comportamentos instintivos: gregários, agressivos ou outras condutas e emoções ligadas a fatores genéticos e hereditários, e isoladas do contexto social mutável em que sempre reaparecem.

---

1. Ver Bender, Mike P., *Psicologia da Comunidade,* Col. "Curso Básico de Psicologia". Ed. Zahar, 1978.
2. Ver Korchin, Sheldon J., *Modern Clinical Psychology. Principles of Intervention in the Clinic and Community.* New Iorque, Basic Books Inc., 1976.

Em contraposição a essa corrente instintivista, surgiram os experimentalistas, principalmente americanos, atomizando o estudo dos comportamentos sociais através do esquema S-R abstrato e vazio de conteúdo social. Os comportamentos sociais passam a ser descritos a nível apenas da aprendizagem de reações individuais a estímulos proximais, abstraindo esses estímulos dos contextos mais gerais: históricos, econômicos e culturais, em que, de verdade, estão inseridos e dos quais ganham significado e sentido.

Essas tendências mais antigas da Psicologia Social, que hoje são consideradas quase *a-sociais,* duraram mais de meio século, com exceção talvez de um ou outro autor, Kurt Lewin, prematuramente falecido em 1947. Só nos anos 70 é que essa Psicologia se considera em crise como construção específica de um saber próprio e busca, numa reaproximação às ciências histórico-sociais, sua nova maneira de trabalhar o *social* em Psicologia.

É nesse contexto de crise[3] e redefinição[4] que a Psicologia na Comunidade tem sua hora e vez e pode constituir-se até numa porta aberta à reavaliação da Psicologia enquanto teoria e prática.

Numa recente resenha dos quinze anos de aparecimento da Psicologia na Comunidade, o professor americano Sheldon J. Korchin[5] assim caracterizou os temas principais que marcam o pensamento atual dos que trabalham na área da Psicologia na Comunidade:

"1) Os fatores sócio-ambientais são muito importantes na determinação e modificação de comportamentos.

2) As intervenções sócio-comunitárias (intervenções orientadas para o sistema em contraste com intervenções orientadas para as pessoas) podem ser eficientes tanto para tornar as instituições sociais (por exemplo, a família, a escola) mais saudáveis quanto para reduzir o sofrimento individual.

3) Essas intervenções deveriam visar mais a prevenção do que o tratamento ou a reabilitação de desordens emocionais. Não só a pessoa necessitada mas também a população-em-risco é a genuína preocupação da Psicologia da Comunidade.

---

3. Ver Rodrigues, Aroldo e Schneider. Eliezer, in *Arquivos Brasileiros de Psicologia Aplicada,* vol. 30, nº 4, 1978, 3-25.
4. Ver Lane, Silvia T. M., in *Educação e Sociedade.* nº 6, 1980.
5. *Op. cit.,* pp. 474-475.

4) Essas intervenções deveriam ter como objetivo a melhoria da competência social, mais do que a simples redução do sofrimento psicológico. Programas orientados para o comunitário deveriam acentuar mais o que é adaptativo do que o patológico na vida social.

5) A ajuda é mais eficaz quando obtida na proximidade dos, ambientes em que os problemas aparecem. Portanto, os clínicos da comunidade deveriam trabalhar em ambientes familiares próximos das pessoas necessitadas, antes que em locais social e geograficamente afastados delas.

6) As clínicas da comunidade deveriam ir ao encontro dos clientes, antes que ficar passivamente à espera de que eles o procurem profissionalmente. Sua atuação profissional deveria ser flexível, facilmente acessível no local e tempo onde a necessidade surge e oferecida numa atmosfera que reduza, ao invés de aumentar, a distância social entre o profissional e a pessoa ajudada. A ajuda deveria ser acessível àqueles que dela necessitam e não só aos que a procuram.

7) A fim de empregar recursos de fácil acesso e aumentar seu ímpeto potencial, o profissional deveria colaborar com os recursos humanos da comunidade (responsáveis locais) e empregar trabalhadores associados não-profissionais. O trabalho do profissional pode envolver mais consultoria do que atendimento direto.

8) Exigências do papel tradicional e normas costumeiras profissionais devem ser abrandadas. O exercício da profissão na comunidade exige uma programação imaginosa e novos modelos conceituais; as inovações devem ser estimuladas.

9) A comunidade deveria, se não controlar, ao menos participar do desenvolvimento e execução dos programas formulados, levando em conta as necessidades e preocupações dos membros da comunidade.

10) Problemas de saúde mental deveriam ser encarados de maneira mais abrangente do que restrita, desde que eles se entrelaçam com muitas outras facetas do bem-estar social tais como o emprego, habitação e educação. Para obter eficiência máxima, os programas de saúde mental da comunidade deveriam ocupar-se com uma faixa de problemas sociais a mais ampla possível.

11) A educação do público para compreender a natureza e as causas dos problemas psicossociais e os recursos disponíveis para se lidar com esses problemas é uma tarefa valiosa.

12) Desde que muitos problemas de saúde mental relacionam-se com uma ampla faixa de carências sociais, tais como pobre-

za, racismo, densidade urbana e alienação, carências essas que estão fora do alcance das intervenções dos profissionais, o psicólogo da comunidade deveria ser orientado para a promoção e facilitação das reformas sociais.

13) Para desenvolver o conhecimento necessário para uma intervenção com o adequado conhecimento de causa, a Psicologia da Comunidade requer a contribuição das abordagens e pesquisas ao natural e ecológicas".

Essas características da Psicologia na Comunidade mostram que essa práxis se afasta nas suas pesquisas e intervenções do assim dito neutralismo do cientista e profissional em Psicologia.

Esse postulado de neutralismo já tinha sido derrotado pela constatação de que a ciência, enquanto construção histórica e social, não é neutra nas suas motivações nem na escolha de seu objeto de estudo. Não é neutra nas suas alianças com as forças econômicas e políticas atuantes na Sociedade.

A Psicologia na Comunidade pretende aproximar-se das classes populares, ajudando-as na conscientização de sua identidade psicossocial de classes submissas e dominadas, como primeiro passo para uma superação dessa degradante situação de submissão.

Surgindo numa época em que a interdisciplinaridade das ciências sociais e humanas é valorizada, em que o labor educativo é tido como primordial na atuação social, a Psicologia na Comunidade procura difundir-se através do trabalho do psicólogo e de outros profissionais envolvidos com trabalho educativo e social.

Valoriza o trabalho educativo conscientizador e reconhece, pioneiros e mestres, autores que não são profissionalmente Psicólogos. Nesse rol, inclui-se necessariamente Paulo Freire, um dos brasileiros que destacou na Psicologia a metodologia da alfabetização das massas. O método Paulo Freire[6] não é só uma técnica pedagógica de alfabetização, mas constitui-se num modelo de trabalho de aproximação às classes populares. Mostra para o psicólogo o que se pode fazer em prol da conscientização e da redescoberta do valor dos indivíduos submetidos a processos seculares de dominação e alienados de sua própria cultura. Articula as forças vivas de resistência, de reação, crescimento e libertação dos grupos sociais populares.

---

6. Ver Brandão, Carlos R., O que é Método Paulo Freire, Ed. Brasiliense, 1981.

A Psicologia na Comunidade deverá assim colocar os recursos da Psicologia em prol do processo de libertação. Cabe à Psicologia na Comunidade trabalhar nos indivíduos e grupos a visão de mundo, a autopercepção enquanto pessoas e grupos; reavaliar hábitos, atitudes, valores e práticas individuais e coletivas, familiares e grupais, no sentido de uma consciência mais plena de classes e de destino.

Para a Psicologia na Comunidade, o impulso de sair dos consultórios e das gerências das empresas e ir para os bairros populares, e sua opção maior por indivíduos e grupos das classes populares, ao invés da clientela tradicional da classe média alta, significam redirecionar as pesquisas, descobrir novas técnicas de atuação e até reescrever, a partir do observado e vivido, muitas das teorias psicológicas. Nesse sentido, a Psicologia na Comunidade pode vir a ser uma nova maneira de fazer Psicologia que, dialeticamente, nega seu passado para reconstruir-se, aproveitando elementos desse passado e do presente para constituir-se numa práxis e numa nova ciência psicológica, verdadeiramente, Psicologia Social.

Visões divergentes

Essa visão social e dialética da Psicologia na Comunidade não é unanimemente partilhada por todos os que atualmente a ela se dedicam.

Há os que visualizam apenas uma atuação, na comunidade, benevolente e caritativa, nas horas vagas, em prol das classes desvalidas, que são consideradas e chamadas de "classes mais baixas".

A Psicologia seria aplicada, nos bairros e instâncias populares, com maior intensidade e frequência do que, até hoje, os psicólogos o fazem, mas, numa prática assumida, explicitamente, como remediativa e superficial. Não há nessa visão de Psicologia na Comunidade nenhum questionamento da Psicologia em si mesma, de suas alianças históricas, de seus constructos e teorias já prontos. Não se pensa em inovações técnicas nem se admitem novas visões teóricas. Muito menos reavaliam-se alianças já feitas com as classes dominantes.

O exemplo acabado dessa visão é a tentativa de reprodução das clínicas psicológicas nos bairros populares, sem alterações dos procedimentos e rotinas consolidadas nas clínicas tradicionais de atendimento à burguesia. Simplificam-se os móveis, elaboram-se orçamentos de despesa e receita mais modestos mas nada se altera do que se entende ser: a relação terapeuta-cliente, técnicas de atendimento já prontas, parâmetros de julgamento e de diagnóstico. Essa visão de Psicologia na Comunidade mereceria mais o título de Psicologia Populista e assistencialista e nada influirá nas mudanças sociais e na estrutura de relacionamento atual das classes sociais. Pode até retardar mais um pouco qualquer mudança dessa natureza.

Outra visão de Psicologia na Comunidade, perniciosa aos meios populares, é aquela que pretenderia formar psicólogos inseridos nos bairros e instituições populares na qualidade de controladores morais dos hábitos e comportamentos desviantes. Pensou-se até em formar psicólogos na Comunidade para controle social dos toxicômanos, criminosos e demais desvios estigmatizados pelos códigos morais vigentes, incluindo-se aí homossexuais, desempregados e menores abandonados. O psicólogo seria uma extensão, no bairro, do braço policial e, sem armas, usaria as armas das técnicas psicológicas de controle e repressão. Nem todas as propostas nesse sentido obedecem rigidamente ao exposto acima e há matizes de proposição.

Parece que não há muito que discutir sobre uma proposta assim direcionada, reduzindo a função social do psicólogo e de outros profissionais da área de humanas a meros guardiães da ordem instituída, sem nenhum questionamento dos fatores sociais que levam aos assim chamados comportamentos desviantes.

Uma terceira visão apontaria para um ativismo político partidário, nos bairros populares, sob o nome de Psicologia na Comunidade.

Ao invés de profissionais preocupados com o crescimento das práticas educativas e de conscientização e libertação, os ativistas partidários poderiam, sob o manto da Psicologia, impor seus partidos políticos e recrutar seus grupos ou tendências de apoio partidário.

Uma proposta assim pode ser catalogada, sem mais, de maquiavelismo da pior espécie, não servindo, nem aos ideais da Psicologia na Comunidade, nem ao desenvolvimento de uma verdadeira Política Popular de superação das raízes de dominação cultural, social e econômica a que as classes populares estão submetidas. Só, como já foi dito, um trabalho educativo e conscientizador, a longo prazo, pode levar essa população, por própria iniciativa, a traçar para si os caminhos de libertação.

A importância da sinalização, aqui, dessa terceira visão de Psicologia na Comunidade reside no fato que, infelizmente, é assim que são vistos, às vezes, todos os profissionais, indiscriminadamente, que se empenham nessa práxis social que é a Psicologia na Comunidade.

Embora a maioria absoluta desses profissionais, envolvidos seriamente com a implantação da Psicologia na Comunidade, condenem essa visão maquiavélica, muitas vezes acabam sendo acusados como agentes dessas mesmas práticas oportunistas por aqueles que ainda se mostram incapazes de entender qual é verdadeiramente a proposta da Psicologia na Comunidade.

Experiências em psicologia na comunidade

A Associação Brasileira de Psicologia Social - ABRAPSO organizou em 1981, em São Paulo, um Encontro Regional para debater as experiências em curso, em nosso meio, sobre Psicologia na Comunidade.[7]

Diversos profissionais – assistentes sociais, educadores. médicos. sociólogos e principalmente psicólogos – relataram, nesse encontro, experiências, em andamento, de pesquisa e atuação em bairros e em instituições populares.

Outras publicações brasileiras ressaltam a existência de experiências de Psicologia na Comunidade em outros países da América Latina que, por semelhança às nossas condições históricas, políticas e sociais, mais se aproximam das experiências brasileiras.[8]

Este breve relato mostra as direções que têm tomado essas experiências que podem ser resumidas nas categorias gerais descritas a seguir.

---

7. Ver *Anais de 1º Encontro Regional de Psicologia na Comunidade*, São Paulo, 1981 (mimeo da ABRAPSO). Endereço para corresp.: Rua Ministro Godoy, 1029, 3º, s. 326; CEP 05015, São Paulo, SP.
8. *Cadernos PUC nº 11 – Psicologia*, "Reflexões sobre a Prática da Psicologia", Ed. Cortez/EDUC, 1981.
Na Argentina, nos anos 60-70, vários autores destacaram-se, nessa práxis, publicando vários livros, como Bleger, J., *Psicohigiene y Psicologia Institucional* (ver cap. 3, "El Psicólogo en la comunidad"), Buenos Aires: Ed. Paidos.

Experiências na área da saúde mental da população

Alguns psicólogos e outros profissionais detiveram-se na questão da saúde mental da população da periferia das grandes cidades. É nesse segmento populacional que se constatam graves fatores de desgaste ou *stress* emocional ligados a péssimas condições de habitação, alimentação, emprego e salários.

É aí na periferia que procuram um teto as correntes migratórias que vêm do campo para a cidade, perdendo suas raízes culturais próprias e impedidas de criar novas raízes, devido ao fenômeno de *turn-over* ou pouca permanência de contrato de trabalho nas empresas, comércio e serviços na cidade. Mal se estabelecem num bairro são obrigadas, por razões de desemprego, a procurar outro local de residência, na maioria das vezes em favelas, quando a situação econômica fica quase insuportável.

Nos hospitais psiquiátricos dessas cidades, os leitos são mais frequentemente ocupados por pessoas que, morando em bairros populares, estão sujeitas ao desgaste emocional e não têm, antes da crise, acesso aos recursos do atendimento psicológico.

A Psicologia na Comunidade tem trabalho, face a esse problema da saúde mental da população-em-risco, em dois campos distintos: de um lado, há, desde os anos 70, a tentativa de criação de Centros Comunitários de Saúde Mental nos bairros de periferia. Nesses centros a questão de saúde mental é discutida e trabalhada junto a essa população.

As experiências em geral são feitas por equipes multidisciplinares e têm oscilado entre um atendimento convencional a indivíduos com queixas de teor emocional e trabalhos educativos sobre saúde mental junto a pais, famílias, escolas e associações locais de moradores ou associações religiosas presentes no bairro.

Outra atuação nessa área tem sido a luta pela presença de profissionais da área psicossocial em Centros ou Postos de Saúde, geridos pelo Governo do Estado ou do Município, fazendo equipe com os médicos e enfermeiras dessas unidades. Esse atendimento psicossocial tem variado também conforme a mentalidade real dessas equipes multidisciplinares e os tipos de ordens que são emanadas das chefias superiores, ainda hoje, quase que exclusivamente, em mãos de psiquiatras. Nem sempre essas chefias estão afinadas com os ventos novos que sopram na sua área, e as propostas de psiquiatria na comunidade e alternativa, em nosso meio, são ainda mais literatura do que prática usual.[9] Uma das deficiências nessas experiências em curso, nos Centros Públicos de Saúde, é o pouco tempo de duração dessa nova prática e a contratação de profissionais não ainda familiarizados com as propostas de uma Psicologia e uma Psiquiatria na Comunidade. Sem um preparo acadêmico anterior adequado, alguns desses profissionais acabam convertendo-se, nesses Centros de Saúde voltados à Saúde Mental da População, em repetidores de uma práxis psicológica inadequada e tradicional. Esse fracasso só vem a reforçar a linha psiquiátrica tradicional, que propõe, para os assim chamados doentes mentais, um tratamento apenas medicamentoso e de internação, nos velhos hospitais psiquiátricos, mais voltados para o lucro do que para uma política de saúde mental da população.

A contratação de um número grande de profissionais para atuarem nesses Centros de Saúde é uma das bandeiras de luta hoje dos psicólogos e de seus órgãos de representação de classe: o sindicato e o Conselho Regional de Psicologia, como o é a exigência de um preparo acadêmico mais refinado para condução da práxis de Psicologia na Comunidade nesses Centros e Postos de Saúde Públicos.

Essa contratação não só responde aos interesses da população dos bairros como também é uma solução para o problema de sustentação econômica desses profissionais da área psicossocial dedicados à saúde mental das classes populares.

Fica portanto claro que essa linha de atuação só poderá desenvolver-se em nosso meio se os conteúdos das disciplinas psicológicas e psiquiátricas em nossas faculdades universitárias prepararem os alunos através da discussão aprofundada dos fatores sociais que atuam efetivamente nos problemas de saúde e doença mental da população. É preciso ainda, nesses cursos, a apresentação de um novo modelo de atuação profissional, que se coadune com os princípios e objetivos da Psicologia na Comunidade. Esse modelo deve substituir a mera medicalização a base de remédios quimioterápicos ou internação hospitalar. Urge o desenvolvimento de atividades psicos-

---

9. Ver Caplan, Gerard B., *Princípios de Psiquiatria Preventiva*, Ed. Zahar, 1980. Ver também Serrano, Alan L, *Psiquiatria Alternativa*, Ed. Brasiliense, 1981.

sociais e educativas que levem à modificação das situações ambientais e pessoais, geradoras de desgaste e *stress* nervoso e emocional.

Experiências em grupos de mulheres e de jovens nos bairros

Os bairros das grandes cidades têm pouca vivência comunitária. Na maioria, são bairros meramente residenciais, bairros-dormitório em que os trabalhadores apenas pernoitam, passando a maior parte de seu tempo de vigília fora deles, na condução e na empresa.

As exceções e essa regra constituem-se no grande contingente de mulheres, que se obrigam a permanecer em suas casas, entregues às tarefas de cuidado dos filhos menores e do lar, enquanto o companheiro ou marido e filhos maiores entregam-se ao trabalho assalariado nas empresas. Mesmo as mulheres, que devem suportar a dupla jornada de trabalho: na empresa e no lar, são mais facilmente contactáveis através do bairro, em que residem, do que os homens com que convivem.

São algumas dessas mulheres que se organizam, em pequenos grupos de convivência comunitária, em forma de clubes de mães, associações de pais e mestres e grupos de aprendizado de artes domésticas, ou ainda, nas reuniões religioso-comunitárias das igrejas dos bairros.

Igualmente os adolescentes e jovens do bairro permanecem, mais frequentemente, durante o dia, nele, devido ao crescente desemprego e falta de oportunidade de estudo, que afligem principalmente essa faixa da população.

Alguns desses adolescentes e jovens associam-se em pequenos grupos de quarteirão, de rua, de esportes ou de igreja. São associações informais e de curta duração, na maioria das vezes.

As experiências, em Psicologia na Comunidade, têm privilegiado também a aproximação a esses grupos de mulheres e de adolescentes e jovens para trocar conhecimentos sobre assuntos e problemas os mais variados, como, por exemplo, educação dos filhos, relações afetivas dos jovens e dos casais, problemas ligados à prática sexual, questões que envolvem o futuro profissional, etc. São temas que se demonstram extremamente úteis para fins de uma práxis da Psicologia na Comunidade.

Não há só discussões, a nível verbal, mas montagens coletivas de peças teatrais, que expressam o cotidiano da vida e as propostas transformadoras desses grupos. Técnicas de dinâmica de grupo, psicodrama, expressão corporal, sensibilização, desenvolvimento organizacional têm sido testados e transformados, nas experiências analisadas até agora.

É também nesses grupos que se pode levar um trabalho de conscientização das condições adversas do bairro, como falta de esgoto, de água potável, de luz, de creches ou escolas, de postos de saúde, etc. Também se analisam as péssimas condições de convivência e lazer e são ensaiadas novas atividades lúdicas e educativas.

Como consequência dessas práticas de acompanhamento desses grupos, houve um acréscimo, na tomada de consciência dessas mulheres e jovens sobre os problemas sociais, presentes no bairro, e como afetam a saúde física e mental da população. Essa conscientização levou a ações organizativas e reivindicatórias, de iniciativa desses grupos, obtendo resultados que marcam o início de superação desses problemas sociais. A população quase que testa suas próprias forças e descobre, surpresa, que elas são mais poderosas do que imaginavam num primeiro tempo.

Um pequeno exemplo nesse sentido é a luta por creches que, quando conseguidas no bairro, a partir de uma tomada de consciência e uma conquista junto ao poder público, podem beneficiar as mulheres e as crianças do bairro e acabam consolidando um local a mais de educação e aprendizagem de hábitos importantes para a saúde mental dessa população.

É aqui que se situa também um pólo de tensão entre a postura e visão política dos profissionais e a dos habitantes dos bairros. O respeito aos interesses, valores, forças e opções dessa população é um imperativo de um trabalho em Psicologia na Comunidade.

Caminhar com a população e não se sobrepor impositivamente a ela ou dominá-la politicamente é uma das exigências para uma correta atuação.

Experiências em instituições populares

Numa comunidade popular, há por vezes clubes culturais e recreativos, centros de vivência de crianças e jovens, associações jurídicas de moradores, associações religiosas, nas igrejas, que podem beneficiar-se da presença de profissionais interessados em ajudar essas instituições através de manuseio de conhecimentos e técnicas psicológicas, que visam o desenvolvimento das pessoas e grupos, atingidos por essas entidades populares.

Os aspectos institucionais, organizacionais e de relações humanas dessas instituições podem ser objeto de diagnóstico e intervenção de pessoas competentes. Essas pessoas podem ser os próprios moradores e frequentadores dessas instituições, uma vez que tenham sido treinados e preparados para uma intervenção eficaz.

Há ainda nessas organizações populares a necessidade de ampliar seus horizontes para outros problemas sociais, culturais ou políticos que, via de regra, escapam à sua percepção.

Atividades culturais, filmes, debates. visitas podem integrar nesse caso o rol de atividades ligadas à prática da Psicologia na Comunidade. A finalidade dessa atuação é abrir as perspectivas, a compreensão e a capacidade da própria população de lidar satisfatoriamente com os problemas de qualidade de vida do bairro.

A importância das experiências em instituições populares reside ainda na possibilidade de se configurar outra instância jurídica – as instituições populares – que poderão contratar, do mesmo modo que o Poder público, nos centros de saúde e escolas do Estado, os serviços dos profissionais voltados à Psicologia na Comunidade, respondendo assim à questão angustiante que se fazem esses profissionais: quem pode remunerar tais trabalhos comunitários?

É verdade que no Brasil ainda não se criou uma consciência comum, nessas instituições, da oportunidade e da importância desses serviços ligados à Psicologia na Comunidade.

Só a intensificação dessa atuação, junto às instituições populares, pode criar essa consciência comum e criar padrões de contrato e remuneração satisfatórios para ambas as partes, eximindo os indivíduos pobres do bairro de arcar com essa obrigação de sustentação condigna desses trabalhadores sociais.

Aqui se situam os sindicatos dos trabalhadores. Alguns deles têm vigorosa expressão econômica, graças às contribuições obrigatórias que arrecadam da categoria. A verba amealhada é gasta muitas vezes em serviços meramente assistenciais e recreativos sem uma programação simultânea que leve à educação e à conscientização dos trabalhadores sócios e suas famílias, residentes .nos bairros da periferia.

A luta pela criação de uma Psicologia na Comunidade passa então por uma luta paralela de reconstrução continua do movimento sindical.

No Brasil, as distorções desse movimento são antigas e estruturais, e cabe apoiar os movimentos operários e dos demais trabalhadores, que procuram dar aos seus sindicatos, reconquistados através das eleições, uma nova legislação e uma nova prática que alterem os vícios herdados dos regimes autoritários do passado.

Há experiências em outros países sobre programas formativos patrocinados por sindicatos de trabalhadores que se coadunam perfeitamente com os propósitos da Psicologia na Comunidade.[10]

Experiências nas escolas de 1º grau da rede pública

Nos bairros populares, a escola de 1º grau é quase sempre uma das poucas instituições públicas, aí presentes, no cotidiano da vida das pessoas.

A população que frequenta essas escolas são crianças e adolescentes, vivendo em famílias com enormes problemas de sobrevivência, onde a cultura familiar tradicional entrou em crise e não pôde mais reconstruir-se. Pai e mãe muitas vezes vivem quase ausentes do lar, pelo dever de ganhar o salário, sem o qual as crianças não podem sequer alimentar-se.

Essas crianças são submetidas pelos meios de comunicação social e de propaganda a um bombardeio de anúncios que nelas despertam sonhos inalcançáveis e também comportamentos reativos de revolta e destruição. São ameaçadas pelo desejo de lucros do comércio de tóxicos e das revistas de baixo nível cultural e pornográficas.

A essas crianças e adolescentes, a educação familiar e escolar propõe muitas vezes um futuro de aspirações profissionais ambíguas e inatingíveis: sonha-se com as melhores carreiras da sociedade, quando a dura realidade reserva, de fato, a elas, os últimos ofícios da cidade.

Nessas escolas, os diretores e professores são, via de regra, recrutados de maneira a mais burocrática e impessoal possível, através

---

10. Ver Freire, Paulo et alii, Vivendo e Aprendendo (cap. 2º, especialmente), Ed. Brasiliense, 1980.

de complicados concursos de promoção e remoção, que criam, frequentemente, nas escolas, uma mobilidade permanente de pessoal.

Os mestres nem sempre captam as condições reais de existência dessas crianças e de suas famílias, por provirem de outros estratos da população urbana, melhor. aquinhoados do que a população da periferia. A rede oficial de ensino, com suas exigências de uniformidade de procedimentos didáticos, desestimula os professores de planejar conteúdos e práticas realmente educativas para essa população infantil e adolescente.

Cria-se assim um impasse entre os objetivos ideais da escola e a prática de ensino.

A presença da Psicologia na Comunidade, nessas circunstâncias, é de extrema necessidade, não para se ocupar com uma função burocrática de distribuição de tarefas didáticas, já prontas, mas para captar e explicitar o descompasso de ambas as partes que compõem o cenário escolar: necessidades reais dos alunos e prática real do processo instrucional e educativo.

Algumas experiências, em nosso meio, estão sendo feitas para levar a instituição escolar a um trabalho educativo eficaz face às necessidades e carências constatadas dos educandos desses bairros.

Algumas das atividades que, atualmente, os profissionais, ligados à Psicologia na Comunidade, estão tentando desenvolver nas escolas da periferia podem ser assim resumidas: presença ativa nas reuniões de pais e mestres; visitas domiciliares e reuniões específicas com mães de alunos, para compreender melhor a cultura familiar e problemas sociais, que interferem na aprendizagem das crianças; diagnóstico do bairro e das características psicossociais da população, a fim de que diretores e professores da escola possam adaptar os conteúdos e procedimentos pedagógicos às necessidades da população escolar; trabalhos nos horários extraescolares com grupos de adolescentes, utilizando o espaço da própria escola de bairro, para a organização cooperativística de estudo, leitura e lazer; exercícios de expressão corporal e psicomotricidade com as crianças e treinamento de professores e agentes da comunidade, para lidar com problemas de aprendizagem e saúde das crianças e jovens do bairro.

A dificuldade para o avanço desses trabalhos profissionais está na rigidez das direções locais e regionais da Educação Pública, que via de regra são ainda muito reticentes quanto a propostas de trabalho como essas.

Não é por acaso que o número de psicólogos na rede escolar de ensino é muito pequeno, e infelizmente a maioria dos psicólogos e demais profissionais da área psicossocial não está preparada para os desafios dessa linha de trabalho.

Mas experiências de Psicologia na Comunidade em Escolas Públicas parecem ser das mais importantes a serem desenvolvidas, no Brasil, hoje, para formar novas gerações menos doentias social e psicologicamente.

É preciso portanto que esses profissionais sejam preparados nas suas faculdades para o exercício dessa nova práxis da Psicologia comprometida com os destinos das crianças e adolescentes dos bairros de periferia.

Publicações de pesquisas participantes

A última área de experiências a ser referida neste texto são as publicações científicas resultantes de uma práxis e uma sistematização teórica dessas experiências em Psicologia na Comunidade.

Parece que não há, no momento, uma resenha mais acurada sobre o que já se publicou sobre o assunto.

O objetivo destes últimos parágrafos do texto é mais o de enfatizar a importância dessas atividades científicas para o futuro da Psicologia no nosso meio.[11]

O aprendizado da Psicologia na Universidade rege-se em demasia por textos didáticos de origem ou de inspiração estrangeira. Aquilo que é observado, pesquisado ou postulado sobre o homem ou a mulher europeus ou norte-americanos, de classe média, torna-se conclusão, sem contestação, sobre a Psicologia e serve de parâmetro de comparação para se avaliar psicologicamente os indivíduos e grupos sociais do nosso país, sem maiores reflexões ou pesquisas.

Nas faculdades de Psicologia é comum desconhecerem-se os aspectos culturais e históricos que moldam a Psicologia do nos-

---

11. O texto que segue é parte de uma comunicação minha. prof., originalmente apresentada na 34ª Reunião Anual da SBPC, em Campinas, julho de 1982, dentro de tema mais geral: "trabalhos em Comunidade: Seu Significado para a Produção de Novos Conhecimentos Científicos" (mimeo).

so povo, e omitem-se na formação do estudante de Psicologia os contextos sócio-econômicos e culturais que condicionam os comportamentos comuns e influem nas características psicológicas das pessoas e dos grupos sociais populares.

Aplicar, na área profissional, esses padrões importados, sem maior aprofundamento crítico, pode resultar num reforço à visão de marginalidade que a maioria do povo trabalhador oferece aos olhos desavisados do profissional psicológico e demais profissionais, de nível universitário, que estudam esse tipo de Psicologia. Daí para a rotulação de excepcionalidade mental e de doença mental é um passo.

Parece lógico não se aceitar como evidentes as conclusões da *ciência importada – ciência porque importada* – e procurar observar mais de perto, e com um mínimo de empatia, a participação, o cotidiano da vida da população trabalhadora, no seu bairro, na sua família, nas suas organizações mais espontâneas e representativas para ampliar, confirmar ou modificar o que já se sabe sobre a Psicologia.

Não se pode aceitar como prontas e definitivas as teorias de personalidade e de desenvolvimento e as medidas e testes psicológicos delas resultantes, comumente ensinados em nossas faculdades.

Há muito a pesquisar ainda nesta área, a partir das peculiaridades da cultura popular e dos seus valores, que passam despercebidos pela elite pensante, que ocupa os espaços universitários do país.

Para avançar um pouco, nesse conhecimento da Psicologia do trabalhador brasileiro, é preciso primeiro explicitar o viés de classe média que institui o modelo burguês como padrão de normalidade e julga desviante e marginal a classe trabalhadora como um todo, reservando-lhe o dilema de escolher o padrão de desenvolvimento psicossocial burguês, inacessível de fato para a classe trabalhadora, ou então resignar-se ao estigma de classe inferior não só socialmente como também psicologicamente.

Cabe às pesquisas em Psicologia na Comunidade uma aproximação ao cotidiano do trabalhador sem preconceito, convivendo um pouco com ele no seu bairro operário, nas suas organizações populares, para apreender sua cultura e forma de vida, suas expectativas, lutas e fracassos e deles partilhar um pouco também, não como quem já sabe mas como quem quer primeiro aprender. Há esperanças assim de entender de forma mais justa a verdadeira Psicologia do trabalhador urbano de nossas periferias, sabendo-se que tal conhecimento modificará práticas profissionais, vigentes na área da seleção de trabalho, de diagnóstico e tratamento clínico e na programação escolar dos estabelecimentos públicos de ensino de 1º e 2. o graus.

Nestes poucos anos de duração da Psicologia na Comunidade, as observações ainda não estão, de forma alguma, nem acabadas nem muito menos sistematizadas. Mas a percepção preconceituosa anterior já se modificou e já se reconhece que há potencialidades e valores, que não constam nas padronizações de testes e nas teorias vigentes, mas que dignificam esse lutador inteligente e criativo, que é o trabalhador brasileiro, envolvido numa trama de sobrevivência extremamente adversa.

Partilhar esse esforço de compreensão psicossocial sobre o trabalhador brasileiro, com os estudantes da Universidade e futuros profissionais na área de humanas, parece ser uma das contribuições das pesquisas e publicações, ligadas à Psicologia na Comunidade, para modificações na sociedade brasileira, no sentido de sua real democratização e respeito à cidadania do brasileiro comum.

Sobre os autores

Alberto Abib Andery. **Professor do Departamento de Psicologia Social da PUC-SP, psicólogo, ex-diretor do Sindicato dos Psicólogos do Estado de São Paulo.**
Alfredo Naffah Neto. **Psicólogo, psicodramatista, mestre em Filosofia pela USP, doutor em Psicologia pela PUC-SP, professor do curso de pós-graduação em Psicologia Clínica.**
Antonio da Costa Ciampa. **Mestre e doutorando em Psicologia Social pela PUC-SP, professor no setor de pós-graduação em Psicologia Social da PUC-SP.**
Iray Carone. **Professora do Departamento de Filosofia da PUC-SP. Leciona atualmente "Lógica do Conhecimento Científico" no Programa de Estudos Pós-graduados em Psicologia Social da PUC-SP.**
José Carlos Libâneo. **Professor da Universidade Federal de Goiás e da Universidade Católica de Goiás, mestrando em Educação da PUC-SP.**
José Roberto Tozoni Reis. **Professor de "Teorias e Técnicas Psicoterápicas" do Instituto de Letras, História e Psicologia de Assis, mestre em Psicologia Clínica pela PUC-SP.**
Marília Gouvea de Miranda. **Professora da Universidade Estadual de Goiás, mestre em Educação pela Universidade Federal de São Carlos.**
Silvia Tatiana Maurer Lane. **Coordenadora do Centro de Ciências Humanas da PUC-SP, autora do livro** O Que é Psicologia Social, **doutora em Psicologia Social.**
Wanderley Codo. **Professor de Psicologia na UNESP, doutor em Psicologia Social pela PUC-SP, membro fundador da ABRAPSO – Associação Brasileira de Psicologia Social.**

Coleção Primeiros Passos
Uma Enciclopédia Crítica

ABORTO	CULTURA	FÍSICA
AÇÃO CULTURAL	CULTURA POPULAR	FMI
ADMINISTRAÇÃO	DARWINISMO	FOLCLORE
AGRICULTURA SUSTENTÁVEL	DEFESA DO CONSUMIDOR	FOME
	DEFICIÊNCIA	FOTOGRAFIA
ALCOOLISMO	DEMOCRACIA	GASTRONOMIA
ANARQUISMO	DEPRESSÃO	GEOGRAFIA
ANGÚSTIA	DESIGN	GOLPE DE ESTADO
APARTAÇÃO	DIALÉTICA	GRAFFITI
APOCALIPSE	DIREITO	GRAFOLOGIA
ARQUITETURA	DIREITOS DA PESSOA	HIEROGLIFOS
ARTE	DIREITOS HUMANOS	HIPERMÍDIA
ASSENTAMENTOS RURAIS	DIREITOS HUMANOS DA MULHER	HISTÓRIA
ASTROLOGIA		HISTÓRIA DA CIÊNCIA
ASTRONOMIA	DRAMATURGIA	HOMEOPATIA
BELEZA	ECOLOGIA	IDEOLOGIA
BIOÉTICA	EDUCAÇÃO	IMAGINÁRIO
BRINQUEDO	EDUCAÇÃO AMBIENTAL	IMPERIALISMO
BUDISMO	EDUCAÇÃO FÍSICA	INDÚSTRIA CULTURAL
CANDOMBLÉ	EDUCAÇÃO INCLUSIVA	ISLAMISMO
CAPITAL	EDUCAÇÃO POPULAR	JAZZ
CAPITAL FICTÍCIO	EDUCACIONISMO	JORNALISMO
CAPITAL INTERNACIONAL	ENFERMAGEM	JORNALISMO SINDICAL
CAPITALISMO	ENOLOGIA	JUDAÍSMO
CÉLULA TRONCO	ESCOLHA PROFISSIONAL	LAZER
CIDADANIA	ESPORTE	LEITURA
CIDADE	ESTATÍSTICA	LESBIANISMO
CINEMA	ÉTICA	LIBERDADE
COMPUTADOR	ÉTICA EM PESQUISA	LINGUÍSTICA
COMUNICAÇÃO	ETNOCENTRISMO	LITERATURA DE CORDEL
COMUNICAÇÃO EMPRESARIAL	EVOLUÇÃO DO DIREITO	LITERATURA INFANTIL
	EXISTENCIALISMO	LITERATURA POPULAR
CONTO	FAMÍLIA	LOUCURA
CONTRACULTURA	FEMINISMO	MAIS-VALIA
COOPERATIVISMO	FILOSOFIA	MARXISMO
CORPOLATRIA	FILOSOFIA CONTEMPORÂNEA	MEDIAÇÃO DE CONFLITOS
CRISTIANISMO	FILOSOFIA MEDIEVAL	MEIO AMBIENTE

Coleção Primeiros Passos
Uma Enciclopédia Crítica

- MENOR
- MÉTODO PAULO FREIRE
- MITO
- MORAL
- MORTE
- MÚSICA
- MÚSICA SERTANEJA
- NATUREZA
- NAZISMO
- NEGRITUDE
- NEUROSE
- NORDESTE BRASILEIRO
- OLIMPISMO
- PANTANAL
- PARTICIPAÇÃO
- PARTICIPAÇÃO POLITICA
- PATRIMÔNIO CULTURAL IMATERIAL
- PATRIMÔNIO HISTÓRICO
- PEDAGOGIA
- PESSOAS DEFICIENTES
- PODER
- PODER LOCAL
- POLÍTICA
- POLÍTICA SOCIAL
- POLUIÇÃO QUÍMICA
- PÓS-MODERNO
- POSITIVISMO
- PRAGMATISMO
- PSICOLOGIA
- PSICOLOGIA SOCIAL
- PSICOTERAPIA DE FAMÍLIA
- PSIQUIATRIA FORENSE
- PUNK
- QUESTÃO AGRÁRIA
- QUÍMICA
- RACISMO
- REALIDADE
- RECURSOS HUMANOS
- RELAÇÕES INTERNACIONAIS
- REVOLUÇÃO
- ROBÓTICA
- SAUDADE
- SEMIÓTICA
- SERVIÇO SOCIAL
- SOCIOLOGIA
- SUBDESENVOLVIMENTO
- TARÔ
- TAYLORISMO
- TEATRO
- TECNOLOGIA
- TEOLOGIA
- TEOLOGIA FEMINISTA
- TEORIA
- TOXICOMANIA
- TRABALHO
- TRABALHO INFANTIL
- TRADUÇÃO
- TRANSEXUALIDADE
- TROTSKISMO
- TURISMO
- UNIVERSIDADE
- URBANISMO
- VELHICE
- VEREADOR
- VIOLÊNCIA
- VIOLÊNCIA CONTRA A MULHER
- VIOLÊNCIA URBANA
- XADREZ

Colorsystem
Grafica Digital e Offset